O VÔO DA GAIVOTA

Patrícia

Psicografado por

Vera Lúcia Marinzeck de Carvalho

Outros livros psicografados pela médium

Vera Lúcia Marinzeck de Carvalho:

Com o Espírito Antônio Carlos:

- Reconciliação
- Cativos e Libertos
- Copos que Andam
- Filho Adotivo
- Reparando Erros
- A Mansão da Pedra Torta
- Palco das Encarnações
- Aconteceu
- Muitos São os Chamados

Com o Espírito Patrícia:

- Violetas na Janela
- Vivendo no Mundo dos Espíritos
- A Casa do Escritor

Com espíritos diversos:

- Valeu a Pena
- Perante a Eternidade

O VÔO DA GAIVOTA

Patrícia

Psicografado por

Vera Lúcia Marinzeck de Carvalho

Petit

PETIT EDITORA E DISTRIBUIDORA LTDA.

Rua Atuaí, 383 - V. Esperança/Penha - Fone:(011) 684-6000

CEP 03646-000 - São Paulo - SP

Correspondência para:

Caixa Postal 67545 - Ag. Almeida Lima - CEP -3102-970

São Paulo - SP

O Vôo da Gaivota

1ª edição/impressão: Julho/96 – 100.000 exemplares

Capa:
Criação e execução:
Flávio Machado

Ilustração:
Daniel Zolyomi

Fotolito da capa:
Stap – Stúdio Gráfico

Editoração eletrônica:
Petit Editora e Distribuidora Ltda.

Dados Internacionais de Catalogação na Publicação (CIP)
(Câmara Brasileira do Livro, SP, Brasil)

Patrícia (Espírito)

O vôo da gaivota / Patrícia ; psicografia de Vera Lúcia Marinzeck de Carvalho. – São Paulo : Petit, 1996.

ISBN 85-7253-032-0

1. Espiritismo 2. Psicografia I. Carvalho, Vera Lúcia Marinzeck de. II. Título

96-2032 CDD: 133.93

Índices para catálogo sistemático:

1. Mensagens psicografadas : Espiritismo 133.93

Impresso no Brasil / Presita en Brazilo

Com muita alegria volto à literatura, motivada pelo carinho dos leitores.

E é a você, amigo leitor, que dedico esta obra com imensa ternura.

Também o faço a desencarnados e, principalmente, encarnados que são úteis por sua capacidade e têm como meta o progresso no aprendizado.

Estendo-me aos anônimos, desconhecidos dos encarnados, mas conhecidos do Plano Maior, que fazem o Bem por amor, sem sequer se importar com nomes célebres.

Patrícia
São Sebastião do Paraíso – MG

Palavras de um amigo

Patrícia, nossa jovem escritora, que nos tem presenteado com sua literatura simples, sincera, que nos traz bons e profundos ensinamentos, vem novamente nos brindar com mais este livro.

Fala-nos da caminhada em que assume novas e diferentes tarefas, do seu desprendimento e desapego.

Patrícia trabalha e estuda no Plano Espiritual, mas aceitou mais esta tarefa de escrever aos encarnados, na intenção de alertá-los quanto ao engano de cultuar personagens famosas. A Doutrina Espírita não está nas mãos de poucos, sejam encarnados ou desencarnados. São muitos os espíritos que trabalham para o Bem da Humanidade.

A nossa alegre escritora, na sua humildade, se acha pequena, mas, com vontade de aprender, não quer que a cultuem e que lhe dêem maior valor do que se acha merecedora.

O enredo deste livro é muito interessante. Participando do socorro a um desencarnado toxicômano, ela nos narra importantes fatos que trazem muitos esclarecimentos sobre o prejuízo causado pelos tóxicos, grande mal da atualidade. O desenrolar atraente desta história faz deste livro mais um marco na Literatura Espírita.

Antônio Carlos

Índice

Introdução

Encarnada, por muitas vezes olhava maravilhada as gaivotas voando. Encantava-me com seus vôos, que me transmitiam a sensação de liberdade. São tão livres! À tarde, andando pela praia, acompanhava suas movimentações pelos ares. Livres e felizes, faziam acrobacias oferecendo um espetáculo de rara beleza.

O espaço imenso é o ambiente preferido das gaivotas. Mas elas não podem deixar de pousar na areia da praia para completar a alimentação necessária à manutenção do seu corpo. Mesmo pressentindo a possibilidade de encontrar predadores inimigos, esta corajosa ave não se intimida, embora muito vigilante pousa na praia. Se falhar na sua vigilância, infeliz terá sido sua descida, pois será presa fácil de algum inimigo natural. Se atenta e vigilante, feliz será sua descida. Pegará o que precisa e novamente alçará vôo, ficando na areia, até a próxima onda, apenas a marca de seus delicados passos, indicando que ali passou uma gaivota, realizando com prazer e alegria a função de viver e participar com a vida o anseio de ser e existir.

Sabendo que venho raramente ao plano físico, naquele dia Elisa me comparou com uma gaivota.

– Gaivota, por que desce à Terra? Procura alimento?

Não respondi de imediato. Olhei para a amiga que me comparou com tão belo pássaro. Seus olhos negros, meigos e bonitos brilhavam. Sorriu. Seu sorriso maravilhoso contagiava àqueles que a rodeavam e deixava à vista as fileiras de dentes perfeitos. Elisa é uma negra linda, a beleza dos seus sentimentos contagia e embeleza ainda mais seu perispírito.

Fiquei a pensar no que me levava a voltar à Terra. O que estaria fazendo ali? Ajuda? Tarefa? Trabalho? O Bem que fazemos é um crédito, uma necessidade ou um alimento?

Volitei, vi que a gaivota deixou marcas dos seus pezinhos no chão arenoso. Voltei o pensamento ao passado recente e me certifiquei de que, ao tentar ajudar os que ficaram na Terra, acabei por fazer muitos afetos. O Bem realizado deixaria marcas?

Assumindo uma Tarefa

Encarnados, nossas ações estão condicionadas a um fim pessoal, à aquisição monetária ou um diploma que nos habilitará a exercer funções bem remuneradas entre nossos companheiros de caminhada. Aqui, no Plano Espiritual, para aqueles que compreendem e vivem a unidade do Universo, trabalhar ou estudar não significa oportunidade de ganho pessoal, mas sim ocasião propícia para não ficar à margem da evolução. A beleza da existência está na sua dinâmica atividade. Ela nunca é monótona. A vida parece com imenso rio que, apesar de estar no mesmo lugar, nunca é o mesmo, renova-se a cada segundo. Nossa personalidade é por natureza ociosa. Se não acordarmos para uma renovação na nossa maneira de ser, correremos o risco de o rio da vida passar e ficarmos à sua margem, perdendo a oportunidade de irmos juntos daqueles que com ele caminham rumo ao infinito. Aceitar novas incumbências de trabalho, de maiores responsabilidades, é motivo de alegria a todos nós que desejamos participar com Deus da manutenção e do progresso de todos os seres humanos. Fui chamada a lecionar num curso de Reconhecimento do Plano Espiritual, no qual a professora titular, Marcela, havia também aceitado incumbências de trabalhos superiores. Apesar de feliz por ter sido lembrada, e radiante por me sentir útil, não pude deixar de ter momentos de preocupações, pois estariam vários espíritos sob minha responsabilidade.

Como de outras vezes, fui à busca de conselhos de meus amigos. Ao ver Maurício, dirigi-me alegre ao seu encontro.

Meu amigo sorriu. Como é agradável vê-lo assim. Sempre lembro do seu doce e confiante sorriso. Respondeu aos meus anseios, tranqüilo, transferindo-me belos ensinamentos.

– Patrícia, como começou o aprendizado de um professor universitário na Terra? Nos primeiros anos escolares, aprendendo as primeiras letras. Estudioso, cursou todas as séries exigidas. Um dia, a escola terrena dá por encerrados seus estudos e o classifica apto a lecionar – às vezes até na própria escola em que se preparou. Se for sensato, reconhecerá com certeza que conhece apenas "o razoável" do assunto em que se especializou, e, então, estudará a vida toda. Mas este conhecimento adquirido é patrimônio seu, conseguido por seu esforço. Querendo lecionar, pode e deve fazê-lo, porque alguns nem têm este saber que você considera moderado. E felizes os que passam aos outros seus conhecimentos. Muitos se indagam: terei capacidade de lecionar? Tendo conhecimento da matéria em questão, têm capacidade, sim. Aqui também é assim. Todos temos que aprender para saber. Que tristeza seria sentir que não há mais nada para aprender. O aluno não deve ficar muito tempo na mesma série. Seu estudo deve render até que passe de aluno a mestre. Tenho acompanhado seus estudos. Aprende com amor. Já está apta a ensinar o que aprendeu.

– Mas, Maurício – insisti –, e se não estiver?

– Está! O que pensa você que é um instrutor aqui no Plano Espiritual? É somente um espírito dedicado, estudioso, que começou seu aprendizado como todos. Não se deve ser avaro de conhecimentos. Não se julgar incapaz e nem ser presunçoso com o que julga saber. Necessário e indispensável é o bom senso; por ele temos a exata medida de nosso cabedal, sem entretanto chegar à vaidade. Depois, Patrícia, ninguém quer uma sumidade para ensinar, mas sim aquele que transmite com amor os conhecimentos que possui. Se a chamaram é porque a julgaram apta. Aqui não existe o "jeitinho" que leva muitos a terem cargos imerecidos. Depois, os cursos vêm prontos à sua mão. É verdade que terá que responder a muitas questões. Confio em você. Aceite e tire bom proveito desta experiência.

Também fui conversar com vovó Amaziles. Gosto muito de visitá-la e a suas amigas. Suavizar a saudade que sinto da casa em que moram e que foi minha primeira acomodação, após minha desencarnação. Após os abraços, falei da minha dúvida.

– Patrícia – respondeu vovó –, este curso é muito importante. Nele se aprende muito do Plano Espiritual na teoria e na prática. Aquisição teórica ou intelectual são apenas arquivos de informações e conhecimentos. As excursões feitas durante o curso são a vivência do fato. Com compreensão, todo aquele que viveu sabe como tomar a melhor atitude diante de cada problema. A intenção do curso é que todos que o freqüentem tenham esta compreensão. Pois somente a vivência destes fatos ou conhecimentos é transmitida às nossas células perispirituais, e, conseqüentemente, será transmitida às células físicas. E, quando reencarnarmos, estas vivências aflorarão em nossa mente como dom nato ou como mente inconsciente. Aceite, você é capaz! Você tem estudado tanto! Coloque em prática o que aprendeu e aprende.

Do Antônio Carlos, ouvi:

– Não fazer, por julgar-se incapaz, não é aceito como desculpa nem aqui no Plano Espiritual, nem encarnado. Se não é, torne-se. Todos somos capazes. Principalmente se não nos é exigido o impossível. Agiu certo, de modo prudente, consultando os amigos. Quando nos sentimos inseguros, devemos pedir opiniões a amigos que consideramos e por quem somos considerados. Com as sugestões recebidas, devemos então optar pelo que é melhor para nós mesmos e para os outros. Não é certo fazer o que não somos capazes no momento. Às vezes, imprudentemente, fazemos mal a nós e aos outros se fizermos algo por ambição, poder e vaidade. Não é o seu caso. Aceite e lembre-se: aprendemos muito mais quando transmitimos conhecimentos.

Também me aconselhei com papai e dele recebi preciosa lição.

– Filha, a vida sabe melhor o que é bom a cada um de nós. Estamos sempre sendo convidados a assumir uma tarefa. Para mim, o melhor lugar é aquele em que somos mais úteis. Ao esquecermos de nós mesmos, vivendo entregues ao bem alheio, criamos condições para que Deus possa agir através da nossa humilde personalidade. E, nunca se esqueça, tudo o que fizer, faça bem feito.

E, ali estava eu, numa sala de estudo, administrando uma aula sobre as Colônias. Sentindo-me perfeitamente à vontade.

A sala de aula era muito agradável. Talvez não tivesse para os outros a mesma beleza vista por mim. "Lugar de ensino deve ser um lugar diferente. Local onde se aprende deve ser respeitado como um templo", dissera uma vez um amigo. Concordava com ele. Todas as escolas deveriam ser educandários que preparam para a vida útil. A classe era pequena, tinha uma lousa e mesinhas confortáveis, duas grandes janelas davam vista para o jardim que contornava a escola. O que a tornava tão agradável para mim era que ali nos reuníamos para um estudo. E aprender ensinando me fascina.

– Por que esta Colônia tem o nome de Vida Nova? – perguntou Terezinha.

– Todas as Colônias, Postos de Socorro, Casas de Auxílio têm uma designação pela qual são conhecidas. É como na Terra, todos os lugares têm nome. Quando esta Colônia foi fundada, um dos seus idealizadores lhe deu este nome esperando que todos que viessem para cá tivessem realmente um reinício de esperança e mudanças para melhor, o que os levaria a uma vida nova. Daí o nome.

Os vinte e dois alunos prestavam muita atenção, depois voltaram para suas tarefas: descrever a Colônia que os abrigava.

A Colônia Vida Nova fica no Plano Espiritual de uma cidade brasileira, pitoresca e de porte médio. É linda! Que interessante é o amor incondicional. Quanto mais uma mãe olha seu filho, mais o acha bonito, não importa quantas vezes o faça. Assim acontece comigo. Todas as vezes que chego a uma Colônia, esta é para mim maravilhosa. Emociono-me e alegro-me. Como é agradável estar no convívio de uma cidade no Plano Espiritual.

A aula transcorria tranqüilamente.

Ouvindo uma História

As dissertações ficaram muito boas. Após a leitura de algumas, pelos próprios alunos, concluímos que nem todos têm a mesma impressão do Plano Espiritual. Albertina até me indagou:

– Patrícia, como pode haver tantos modos de ver, sentir e ter sensações diferentes diante de um mesmo objeto ou lugar?

– Realmente – respondi. – Podem existir muitas formas de sentir os acontecimentos pelos quais somos envolvidos. Estou lembrando agora de algo que ilustra bem este fato. Há algum tempo, ouvi uma estorinha interessante. "Uma florzinha branca e mimosa floresceu à beira de uma estrada. Por este caminho, passavam muitas pessoas. Algumas, sem sequer vê-la. Uma mulher, ao defrontar-se com ela, disse: 'Veja, uma flor à beira da estrada! Ela é medicinal, muito boa para dores. É bom saber que aqui tem, quando precisar, virei buscar.' Um poeta que cantava as alegrias e tristezas, as belezas do mundo, também passou pela estrada; ao ver a flor parou e exclamou comovido: 'Que linda flor! É digna de enfeitar os mais lindos cabelos de uma mulher apaixonada! Mas, infelizmente, no momento não estou amando, senão levaria para enfeitar minha amada!' Em seguida passou pela estrada uma jovem que, ao ver a delicada flor, parou para admirá-la. 'Que florzinha mais encantadora! Que perfeição nos seus contornos! Como é bonito ver uma flor a enfeitar uma estrada, suavizando a visão talvez tão cansada e preocupada dos que passam por aqui.' Com um gesto meigo beijou a flor e seguiu seu caminho. Passou por ali também um materialista que, ao ver a flor, falou revoltado e furioso: 'Flor imbecil, por que veio florir nesta estrada poeirenta? Seu branco não combina com a sujeira do lugar. É uma inútil!' Chutou-a e foi embora. Um senhor, que o tempo havia branqueado os cabelos, ao ver a flor ali solitária à beira da estrada, exclamou: 'Como a obra de Deus é perfeita! Como o Senhor do Universo é bondoso conosco nos dando belezas na natureza para nos alegrar! Que seja bendita a florzinha branca! Obrigado por você existir e nos alegrar!' Sabiamente continuou seu caminho. E a singela flor continuou sendo a mesma para todos." Só que, conforme a compreensão, o interesse, o estado de espírito, viam-na de maneiras diversas.

Todos estes personagens ao ver a flor reagiram de conformidade com seu condicionamento. A mulher preocupada com enfermidades físicas viu na flor seus dotes curativos. Para o poeta, a flor foi a causa ou motivo para aflorar em sua mente os seus devaneios mentais. O senil, já desiludido com as ilusões mundanas, ansioso por unir-se a Deus, viu ali a manifestação Daquele que tanto procurava.

Se falarmos a respeito disso com um mestre Espiritual, ele nos dirá que o belo ou o feio que possamos vir a ver é conseqüência de nossa escolha pessoal. A vida não fez discriminações entre suas manifestações. O bem e o mal estão restritos ao âmbito hominal, assim como o belo e o feio. Cosmicamente, eles não existem, pois nada há em que não haja a Onipresença Divina. Cada ser ou criatura tem sua razão de ser na cadeia das relações em que a vida se manifesta. Toda manifestação tem os dotes que necessita para desempenhar sua função. É muito importante que possamos aprender a ver as coisas como são e não como queremos que sejam.

As Colônias, Albertina, são lugares que abrigam muitos temporariamente, como no Plano Físico. E, dependendo de muitos fatores, cada qual as vê como consegue ou quer. Este fato também acontece com os encarnados. Muitos se deslumbram diante de um jardim florido, da visão de um rio, de montanhas, outros nem os vêem e para alguns tudo isto é indiferente. Acho as Colônias encantadoras. Quando estava encarnada, maravilhava-me com os lugares belos da Terra. Acho lindo o mar, gostava de olhar o céu, as flores, deslumbrava-me e deslumbro-me ainda com tantas belezas. Nossa Terra é bela!

Descreverei, para melhor ilustrar este fato, uma redação que foi feita sobre o assunto. Quase todos a fizeram. Vamos comentar o que achei mais interessante.

Que coisa fantástica é a vida, por mais que a observemos nos parece sempre nova. Quando ouvimos a história da vida de uma pessoa, ouvimos a nossa própria, pois ela nos traz notícias de um ser humano, portanto, a história da própria humanidade. Mas, normalmente, não ouvimos muito as pessoas, pois quase sempre vivemos fechados no nosso mundo interior de tal forma que, mesmo aparentemente dando-lhes atenção, não chegamos a entendê-las. Para compreender uma história, é necessário viver as emoções de quem narra os acontecimentos, seus estados psíquicos de alegria, esperança, angústia, rancor, mágoa, gratidão ou qualquer outro estado emocional. Escutando com atenção a história de Genoveva, uma pessoa comum, como a maioria dos encarnados ou desencarnados, teremos a oportunidade de entender o porquê de muitas vezes fazermos de nossas existências uma verdadeira tragédia da qual desfrutamos pequenos momentos de alegria e um tempo sem conta de desespero, frustrações, angústias e dores. A personagem é uma manifestação Divina. Amando a presença de Deus, que é o autor de todas as manifestações em cada criatura, teremos compaixão de todos os seres humanos, que no momento representam como atores no palco da vida. Imbuídos destes sentimentos, podemos ver a enormidade de nossa ignorância. Como ela começou não importa, o que interessa é o fim da mesma. Isto está em nossas mãos realizar. Portanto, não vamos aplaudir ou censurar os erros ou os acertos de uma pessoa, mas compreender o que a humanidade tem feito com o privilégio de viver cientes daquilo que somos: seres humanos.

Genoveva começa contando sua desencarnação. Transcrevo-a, porque chegamos à conclusão que está muito relacionada a nossa maneira de viver encarnado, a nossa desencarnação e a nossa vivência aqui, no Plano Espiritual. A própria Genoveva leu sua redação para toda a classe.

"Desencarnei jovem" – começou Genoveva –, "bem, não tão jovem. Tinha trinta e sete anos. Amava a vida, tinha lá meus problemas como todo mundo, mas estava satisfeita. Casada, tinha dois filhos adolescentes, vivia feliz no meu lar. Um dia, como fazia sempre, saí para comprar roupas. Estava indecisa entre duas saias, distraída atravessei a rua, quando um carro, dirigido por um jovem embriagado, me atropelou. Ele corria além do permitido e eu, entretida: não deu para evitar o acidente. Desencarnei no ato. Se as pessoas que viram ficaram abaladas e confusas, imagine eu. Senti-me jogada no chão, escutei meus ossos quebrarem. Não senti dor. Fiquei atordoada. Sentei com dificuldade na calçada. Não consegui ver direito, então perdi os sentidos. Acordei num lugar escuro, úmido com cheiro nada agradável. Sentei e esfreguei os olhos. Tive a certeza de que estava acordada. Mas onde? Vi, então, uma senhora a uns dois metros de mim que me observava calada. Era bem feia, estava suja, cabelos brancos espetados, achei-a horrível. Ela ficou quieta enquanto eu a olhava detalhadamente. Concluí, como sempre fazia, que nem todos eram bonitos como eu. Resolvi indagá-la.

"A senhora sabe por que estou aqui neste lugar estranho?"

"Não é estranho" – respondeu ela séria –, "é um lugar como outro qualquer."

"Mas, como vim parar aqui? Não me lembro..." – indaguei com delicadeza, tentando ser gentil com aquela estranha mulher.

"Uma turma das que andam por aqui a trouxe" – disse ela após uns instantes em silêncio. "Escutei eles dizerem que a acharam sem sentido após o acidente. Como não havia ninguém ao seu lado, pegaram-na e a deixaram aí."

"O acidente!" – exclamei. "Lembro-me bem! O carro daquele maluco! Mas, não era para eu estar num hospital?"

"Se não tivesse morrido, acho que sim" – respondeu a senhora com sua voz rouca o que para mim, no momento, era muito desagradável.

"O que a senhora está me dizendo? Se não tivesse morrido? Por quê? Morri?"

"Que acha? Claro que morreu!" – respondeu dando um sorriso cínico.

"Não e não! Não morri!" – gritei.

"Morreu! Morreu e morreu!" – gritou ela mais do que eu. "O carro passou em cima de você e seu corpo morreu. Mas, como ninguém morre de fato, aqui estamos vivas em espírito."

"Faz tempo que estou aqui?" – perguntei assustada.

"Um bom tempo. Estava aí deitada sem sentidos."

"Mas que lugar é este?" – indaguei desesperada.

"Pelo que vê, não é muito bom" – respondeu a senhora após uns minutos calada. "Você não deve ter sido boa coisa, senão teria sido levada para outro lugar."

"Como se atreve?" – falei sentida.

"Ora, ora, falo como quero. Você é morta! Morta!"

"Não e não!"

Repetia já duvidando. Chorei muito, revoltei-me, dei murros no chão até que cansei. A mulher saiu de perto de mim. Dormi. Acordei e senti-me pior, estava com sede e fome, me sentindo suja, modo que detestava ficar. Pensei no acidente, tive ódio do imprudente motorista, então senti meu corpo doer. Percebi que era só pensar no acidente para ter dores, esforcei-me para não pensar mais. Resolvi ver onde estava. Arrastando locomovi-me alguns metros, estava numa pequena abertura de uma rocha. Perto, achei um filete d'água, que com nojo tomei, amenizando minha sede. Vi que outros que estavam ali a tomavam e comiam pequenas ervas, comi também. Não me atrevi a ir mais longe; quando saía, voltava sempre rápido para a abertura. Esta senhora também se abrigava ali, só que saía e demorava a voltar, andava pelo Umbral. Às vezes conversava comigo, era a única pessoa com quem falava. Sentia-me terrivelmente só."

Faço uma parada na narrativa de Genoveva para explicar alguns detalhes. Muitos não vivem como parte integrante do Universo, agem como entes separados da vida. A lagarta nos dá um bom exemplo de como agir. Como lagarta, realiza com eficiência sua função, vive para se empanturrar de folhas, adquirindo energia suficiente para que possa acontecer sua metamorfose. Muitos encarnados esbanjam energias insensatamente, de tal forma que, no momento da desencarnação, estão tão defasados que o espírito não consegue abandonar a matéria. Não devemos negar as funções do viver, mas sim estarmos conscientes de que somos transeuntes; não fazer da existência um acúmulo de sensações e prazeres como se isto fosse a finalidade única para a qual reencarnamos. Identifico Genoveva com muitos de nós. Nossa narradora se identificou com o que representava, um elemento feminino cheio de dotes e beleza fisica diante do sexo oposto, sentindo-se segura e confiante, pois tinha mais que as outras. Nada lhe interessava a não ser ela mesma. Tudo o mais, até o marido e os filhos, era apenas apêndice do seu "status". Meditando, conseguimos olhar o Universo como um todo orgânico, vendo a unidade de Deus. Assim compreendemos sua Onipresença em tudo e em todos, entendendo, então, que para a natureza não há nem bonito nem feio, mas simplesmente um conjunto de manifestações ou individuos que juntos compõem o Universo manifestado. Vemos, assim, que o bonito e o feio fazem parte de nossa preferência pessoal. Se conseguimos ver isto como um fato nos libertamos do apego, desejos e sensações de sermos melhores que os outros. O início da verdadeira humildade é não se sentir melhor que ninguém. Entre milhares de desencarnações que ocorrem diariamente, cada desencarnado tem uma sensação diferente da passagem do estado fisico para o espiritual. Mesmo em acidentes parecidos com o de Genoveva, cada qual a sente de um modo. A desencarnação é um fato comum e natural, mas que se diferencia de uma pessoa para outra. Genoveva foi desligada bruscamente com o choque. Ao perder os sentidos, ficou em perispírito deitada na calçada, já que seu corpo físico logo em seguida foi levado para o necrotério. Como não tinha ninguém do Bem, isto é, trabalhadores ou socorristas, a lhe velar, para socorrê-la, desencarnados que vagavam a pegaram. Levaram-na, após vampirizar seus fluidos vitais e a deixaram lá no Umbral. Se Genoveva tivesse adquirido afetos espirituais através de sua vivência física, teria sido levada para um socorro. No exercício da fraternidade incondicional, que é o fazer sem desejar nada em troca, nem mesmo recompensa da parte de Deus, emanamos boas vibrações. Com vibrações assim, atraímos para junto de nós bons espíritos, como também elas impedem o assédio de maus a nossa volta. Tenho visto muitos acontecimentos em que desencarnados maus pegam recém-desencarnados imprudentes e os fazem de escravos ou os levam para suas cidades. Estes, porém, sugaram de Genoveva suas energias e a deixaram num canto do Umbral. Voltemos a sua narração.

"Não sabia quanto tempo estava ali, naquele lugar horroroso. Só mais tarde vim a saber que foram seis meses, que para mim pareceram mais de seis anos. Sentia, às vezes, meus filhos me chamarem. Respondia alto:

– Vou filho, vou!"

Mas não ia. Não sabia como ir e nem tinha forças para me locomover. Sentia que oravam por mim. Nestes instantes ficava mais calma. Comecei então a lembrar muito de Dona Rita, minha ex-vizinha. Recordei que ela era aposentada, viúva, com um filho que morava longe e que não lhe dava atenção. Passava por muitas necessidades. Dava-lhe muitas coisas, levava comida pronta, ora o almoço, ora o jantar, comprava-lhe remédios, dava-lhe carinho. Ia vê-la quase todos os dias. Agora, ela orava muito por mim. Escutava-a dizer:

"Genoveva, peça ajuda a Deus. Ele é nosso Pai e nos ama. Peça perdão! Queira ajuda!"

Fiquei a pensar no que escutava, "peça ajuda, peça perdão". Mas estava revoltada. Não queria ter morrido. Era bonita, cheia de vida e saúde. Agora estava sofrendo. E não queria continuar, tinha que mudar aquele estado, só que não sabia como. As orações de Dona Rita foram acabando com minha revolta, acalmei-me e comecei a meditar. Nunca pensei que a morte viesse para mim. Era para os outros. Ainda mais que me achava jovem para morrer, não queria a morte nem na velhice. Então percebi que por ali passavam outras pessoas, eram diferentes, limpas e com semblantes tranqüilos. Já haviam tentado conversar comigo, não lhes dei atenção. Talvez vocês achem incoerente esta minha atitude. A sujeira me incomodava, achava aquele lugar horrível e não dava atenção para aquelas pessoas limpas e saudáveis. Mas, naquele momento não me sentia bem perto deles; não queria o que me ofereciam, ajuda espiritual, mas sim o que havia perdido com a vida física. Sentia-me inferior a eles e isso me magoava. Também estava envergonhada por estar em estado tão deprimente. É que, quando encarnada, me sentia como se fosse rainha e agora era um farrapo feminino. Mas depois achei que eles poderiam me ajudar. Quando os vi de novo, os chamei, pensando firme nos dizeres da minha ex-vizinha: "Peça ajuda! Peça perdão!"

"Senhores, por favor, me dêem atenção!"

Aproximaram-se, perto deles senti como eram felizes. Olhei-os emocionada.

"O que quer?" – indagou um deles.

"Ajuda, perdão..." – respondi envergonhada.

"Venha conosco."

Novamente interrompo a narração de Genoveva para algumas explicações. Ao pedir perdão, demonstra que reconhece os erros cometidos e que deseja mudar para melhor. Deus não se ofende conosco, ama-nos muito. O que precisamos é da renovação interior que fará com que participemos da renovação da humanidade. Normalmente, quando os familiares chamam os desencarnados, estes os atendem, indo para perto deles, se não tiverem conhecimentos da vida no Plano Espiritual. E Genoveva não os tinha. São muitos os que saem dos Postos de Socorro para atender esses chamados. O desconforto ocasiona ao desencarnado o desejo de voltar ao estado anterior, isto é, à vivência que tinha quando encarnado. A vontade forte os leva para onde querem, quase sempre ao antigo lar ou perto de seus afetos. Os recém-socorridos que estão abrigados nas Colônias maiores não saem, porque estas ficam mais longe da crosta e não é tão fácil saírem sem permissão. Mas muitos desencarnados, para atender insistentes chamados, pedem para ir, mesmo sabendo o risco que correm de voltar sem estar preparados. Desencarnados que vagam pelo Umbral costumam também atender estes chamados. Mas nem todos voltam, como no caso de Genoveva. Primeiro, os chamados não foram tão insistentes, segundo, ela teve medo de sair do lugar em que estava. Depois, ela não amava ninguém mais que a ela mesma. Também, porque ela se sentia enfraquecida, sem forças psíquicas. Quanto à ajuda que recebeu de Dona Rita, foi uma reação de uma de suas ações. Como meu pai sempre diz: "O Bem que fazemos, a nós mesmos fazemos." E ele lembra sempre dos dizeres do Nazareno, como gosta de se referir a Jesus, nosso Grande Mestre. "Granjear amigos com as riquezas da iniqüidade, para que, quando vierdes a precisar, vos recebam nos tabernáculos eternos." Lucas, XVI:9.[1] Quando fazemos o Bem, fazemos amigos. Se um deles nos for grato, ele nos ajudará quando necessitarmos. Genoveva fez algumas boas ações. E Dona Rita, grata, não a esqueceu. Orou com sinceridade e fé para ela. Oração sincera não fica sem resposta. Genoveva recebeu o carinho de sua ex-vizinha da forma que precisava no momento.

[1] As citações do *Evangelho* contidas neste livro foram tiradas da *Bíblia* – Tradução Vulgata.

Ela recebia seus fluidos de ânimo e conforto. Sua ex-vizinha fazia orações decoradas que lhe ensinara a religião que seguia. Orações envolvem o beneficiado com energias benfazejas de modo a ajudar no que necessita. E para Genoveva era para que se arrependesse, pedisse perdão e perdoasse, que chamasse por ajuda, mudando assim seu padrão vibratório e possibilitando seu socorro. E foi isto o que ela fez.

Continuemos com a interessante narrativa de Genoveva.

"Fui amparada com delicadeza, um senhor e uma moça me levaram para uma casa enorme, um Posto de Socorro no Umbral. A moça me ajudou a tomar banho. Deliciei-me. Com roupas limpas, tomei um prato de sopa quente que achei muito saborosa. Depois acomodei-me num leito perfumado e dormi tranqüila. Não estava doente, não sentia dores, estava só desorientada e com fraqueza. Recuperei-me logo. E fui transferida para esta Colônia.

"Você vai para a Colônia Vida Nova. Verá como ela é linda."

Ouvi muitos comentários parecidos. E fiquei curiosa para vê-la. Fui levada à Colônia junto com outros que também iam ver uma cidade no Plano Espiritual pela primeira vez. Lá, nos separamos, fui conduzida para uma casa, onde fiquei hospedada. Que decepção! Não vi nada das maravilhas que ouvi. A casa sem arranjos e enfeites era simples demais. Só tinha o necessário.

"Que beleza de jardim!"

"Que flores lindas!"

Tentava prestar atenção e descobrir onde estava a beleza do que ouvia. O jardim para mim parecia como outro qualquer da Terra. Só que talvez mais cuidado e respeitado. As flores eram flores como sempre foram. Havia algumas diferentes, mas eram plantas. Estava apática. Tentava ser gentil com as pessoas que moravam comigo, porque era tratada com extrema delicadeza. Carinhosamente me levaram para conhecer a Colônia. Nada me entusiasmou. Achei a Colônia extremamente sem atrativos. As belezas e sensações das quais gostava não eram cultivadas. Ali via muitas mulheres bonitas e elas agiam como se este fato não as importasse. Para mim, a minha beleza era um patrimônio e gostava de ser assim, encarnada sentia-me superior à maioria das mulheres. A Colônia era um lugar como outro qualquer. Bem, como outro qualquer, não! Para ser sincera, perto do lugar que fiquei no Umbral, na abertura da rocha, ali era o paraíso. Os novos amigos muito me aconselharam. Eles me consideravam como se fosse amiga deles, mas eu não, para mim eram somente pessoas boas que tentavam me ajudar. Tudo fizeram para me tirar da apatia. Fui convidada a fazer uma pequena tarefa. Não era preguiçosa, fui muito fútil, vaidosa, mas não ociosa. Aceitei, porque achei que deveria ocupar meu tempo. Fui trabalhar na Biblioteca. Maura, uma senhora alegre e extrovertida, me orientou no começo.

"Genoveva, querida, coloque estes livros em ordem alfabética."

Fazia tudo direitinho.

"Muito bem!" – incentivava ela. "Você tem trabalhado com vontade. Você não é curiosa? Não tem interesse no conteúdo destes livros? Não gosta de ler? Não a vejo nem folheá-los."

Acabei por pegar um livro. Abri e li uma página. Era um livro que os encarnados têm também o privilégio de conseguir para leitura. Acabei levando-o emprestado para casa.

Minha apatia foi desaparecendo aos poucos com a ajuda e alegria dos meus amigos – agora sim, considero-os como amigos – e de lições ouvidas e lidas. Com o estudo e atenção fui compreendendo que meu corpo e tudo o que me rodeava não existiam para meu prazer e sensações, mas sim como parte de um todo que é a manifestação de Deus. Então aconteceu o que não esperava. Antes, vendo, eu não via; ouvindo, eu não ouvia. Agora vejo e ouço o que antes me passava despercebido. Comecei a esquecer de mim para prestar atenção à minha volta. Tempos depois, tentei ver tudo novamente para encontrar as belezas tão admiradas. Amo muito esta Colônia. Mas beleza para mim por muito tempo era outra coisa, vestidos novos da moda, luxo e beleza física. Só a compreensão faz vermos a beleza nas coisas simples. Aprendo a vê-las. Estudei e estudo, trabalho e tenho Paz, agora estou bem.

Depois de um tempo por aqui, pedi permissão para visitar meus familiares. Pedidos estes feitos por quase todos os que vêm para cá. Alguns dias após ter feito o pedido, o pessoal do departamento que cuida de atender estes rogos me chamou para uma entrevista.

"Tenho saudades dos meus familiares" – disse –, "quero vê-los e saber como estão."

Meu pedido foi aceito, ao marcar dia e hora, lembrei de Dona Rita e pedi outro favor.

"Será que não posso ir só um pouquinho à casa de minha ex-vizinha?"

"Pode" – responderam.

Vamos parar um pouquinho com a narrativa para elucidar.

Nestas primeiras visitas, os desencarnados seguem algumas normas da casa onde estão abrigados e que nem sempre são as mesmas para todos. Estas normas têm o objetivo de preservar o equilíbrio do novato na nova maneira de viver. Para cada um é determinado um tempo, conforme as necessidades do visitante. Mas é costume nas primeiras vezes irem com um companheiro experiente, que nem sempre fica junto durante a visita, mas que o acompanha para levá-lo de volta à casa em que está abrigado.

Voltemos à narrativa.

"Emocionei-me ao ver meu esposo e meus dois filhos. Percebi que os amava de forma egoísta. Tanto que, ao desencarnar, só pensei em mim. Não julguei que eles sofreriam pela nossa separação. Os três estavam muito unidos. Arrumaram uma empregada e um tentava ajudar o outro dando forças. Fiquei por horas esforçando-me para seguir os ensinamentos e recomendações que recebi. Ficar alegre, orar por eles e não interferir no momento de eles agirem. Quase na hora de ir embora, fui ver Dona Rita. Para meu espanto, ela me sentiu; mais sensitiva, minha ex-vizinha percebeu minha presença. Não que tenha me visto, mas pensou em mim de maneira terna.

'Genoveva, que Deus a proteja onde esteja. Que seja feliz! Sou-lhe tão grata! Obrigada!'

Orou e me disse coisas carinhosas pelas quais me animei. Soube, também, que meu esposo continuou lhe dando, em minha intenção, todo mês, uma quantia em dinheiro. Meu esposo é maravilhoso e meus filhos também.

Na hora de voltar, esperei meu companheiro para retornarmos à Colônia. Abracei-o e chorei. Afagou-me somente. Meu choro era diferente. Tinha sido muito feliz encarnada e queria voltar a ser. Mudei, tornei-me mais alegre e entusiasmada."

Genoveva terminou. Como sempre, após a leitura havia perguntas. Estas redações não são obrigatórias e nem sua leitura, faz quem quer, podendo também o aluno falar sobre o assunto, ficando à vontade. Mas, desta vez, foi Genoveva quem indagou:

– Patrícia, quando fui ver Dona Rita, ao me agradecer, saíram dela raios lindos, coloridos, que vieram até mim. Foi muito agradável. Percebi que aquela sensação de carinho que recebia dela já tinha recebido outras vezes, principalmente quando estava no Umbral. Também agradeci a Dona Rita, estava ali para isto. E vi que ao fazê-lo também saíram de mim esses raios que lhe foram igualmente muito agradáveis. Como você vê isto?

– Quando estamos mais carentes – respondi –, é que sentimos as vibrações de carinho, como você no Umbral. Dona Rita orava por você, desejando-lhe que estivesse bem. O ato de agradecer é muito bonito. O agradecimento sincero sai da alma e envolve a pessoa que agradece com raios de suave colorido que depois vão para quem estamos agradecendo, beneficiando ambos. Muitos pensam que bons e harmoniosos fluidos só acontecem em esferas elevadas e que só espíritos superiores são portadores de tais vibrações. É que ainda não perceberam que por Deus fomos dotados em estado potencial com a capacidade de amar e de sermos fraternos, cabendo-nos somente atualizar este estado de vida. O estado psíquico de gratidão é uma faculdade do ser humano. Somos filhos do amor. Mas não devemos nos importar com agradecimentos. Devemos, sim, compreender o que realmente somos, para que ultrapassando o egoísmo cheguemos ao estado de fraternidade em que a gratidão seja uma situação natural de se viver. Beneficiamos a nós mesmos, quando cultivamos o sentimento sincero da gratidão.

Ninguém fez mais perguntas e fomos para um pequeno intervalo. Fiquei a meditar. Muitos temem a desencarnação por não ter o preparo para esta continuação de vida. Muitos sofrem com esta mudança que nos é imposta e para a qual não se tem escolha. Outros a acham maravilhosa, pois, pela lei da afinidade, gostam muito do lugar para onde foram atraídos. A natureza não dá saltos, nada é excepcional, a beleza está na simplicidade. Muito se tem falado da continuação da vida depois da morte física. Cabe a cada um fazer seu preparo sem descuidar do presente. Pois é no presente que construímos nosso futuro. Devemos viver bem e no Bem, sempre. A desencarnação pode ocorrer a qualquer momento. Que ela nos surpreenda, então, de tal modo que possamos estar aptos a continuar a viver bem e feliz.

Colóquio Interessante

Numa aula especial, trocamos idéias sobre diversos assuntos do interesse da maioria. Lena, nossa querida colega, alegre como sempre indagou:

– Patrícia, por que uns se deslumbram tanto com as Colônias e outros não?

– Nada deve ser em excesso – expliquei. – O equilíbrio deve existir sempre. Colônias servem de lar a muitos desencarnados, mas temporariamente. Devemos amar, respeitar e dar valor a todas as formas de lar. Muitos, pela vibração, se afinam mais com estes lugares de Paz e Harmonia, que para outros são monótonos e sem atrativos. Quando aprendemos a ver Deus em tudo e dentro de nós, qualquer lugar é maravilhoso, não existem lugares ruins. Se estamos satisfeitos conosco, seremos felizes onde estivermos, se insatisfeitos, nada nos parece suficientemente bom.

Josefino perguntou para elucidar-se.

– Patrícia, as Colônias progridem?

– Sim, e muito. As Colônias estão sempre progredindo pelo trabalho de seus moradores. Estão sempre se modificando para melhorar a vivência temporária de todos que aqui vêm.

– Elas aumentam de tamanho? Quem as constrói? – indagou Josefino novamente.

– Normalmente – respondi –, as Colônias são criadas pequenas pelos seus fundadores. Vão sendo ampliadas conforme a necessidade. Seus fundadores são sempre desencarnados que amam o Bem e o próximo. Muitas vezes, após a fundação, permanecem nelas trabalhando para o Bem comum. Cada Colônia tem os seus fundadores; são orientados por espíritos superiores que trabalham como construtores no Plano Espiritual.

– Patrícia, nunca tive uma profissão, nem quando encarnado nem quando vagava desencarnado – disse Josefino. – Aqui aprendi muito e, após o curso, vou estudar enfermagem.

– Fico contente por você, Josefino, conhecimentos só nos fazem bem e quanto mais sabemos mais podemos ser úteis.

– Patrícia – replicou Marília –, continuaremos a exercer aqui a profissão que tínhamos quando encarnados? Fui advogada. Poderei trabalhar com a advocacia? Quando encarnada preocupei-me tanto com isso.

– Marília, profissões devem ser temporárias. Encarnados, as temos também para a sobrevivência. Aqui devemos ser úteis, aprendendo as muitas formas de sê-lo. Os conhecimentos que teve ao estudar advocacia e ao exercê-la fizeram que desenvolvesse sua inteligência. Conhecimentos que nos esforçamos para obter nos pertencem. Os encarnados não devem preocupar-se com o que farão no Plano Espiritual, se exercitarão suas profissões ou inquietar-se se não tiverem alguma. Quando queremos, achamos sempre um modo de ser útil e trabalhar. Aqui é uma continuação de vida, mas muda-se muito. Muitas coisas que fazíamos quando encarnados não há como e por que fazê-las no Plano Espiritual. Aqui, nas Colônias, fazemos rodízio de muitas tarefas para aprender e também para escolher a que mais gostamos para nos dedicar a ela. Você, Marília, poderá fazer muitas tarefas e muito lucrará com o aprendizado.

– E no Umbral? – perguntou Marília novamente. – Trabalham por lá? Exercem os desencarnados as profissões que tinham quando encarnados?

– Os que sofrem no Umbral – elucidei – não fazem nada, a não ser os que são obrigados como escravos. Os moradores, principalmente das cidades umbralinas, trabalham, só que de modo muito diferente dos desencarnados bons que servem para o Bem comum. No Umbral, tudo é feito com egoísmo, vaidade e para o mal. Consideram estar trabalhando, quando estão vingando, obsediando e destruindo. Lá muitos têm conhecimentos, mas os usam de forma errada. Quanto às profissões que tinham encarnados, quase sempre não têm como exercê-las, já que a vida física difere muito da que vivemos no Plano Espiritual.

– Patrícia – disse Marília –, quando eu ainda estava encarnada, um amigo meu desencarnou e, na ocasião, fiquei muito impressionada. Comecei a sentir muitas dores, como ele as sentia. Meu esposo me levou num Centro Espírita e lá me falaram que ele não estava comigo como julgávamos, mas sim num hospital no Plano Espiritual. Fui aconselhada a não pensar nele e melhorei. Lembrando agora deste fato, gostaria de entender o que se passou.

– Vou lhe responder o que pode ter ocorrido. Porém, não se pode dar uma resposta para algo sem ter analisado bem o que ocorreu. Para cada fato há muitas explicações. Este seu amigo desencarnado não estava perto de você, mas, pensando muito nele, você se ligou mentalmente a ele. Quando nos ligamos mentalmente, o que pode acontecer é uma transmissão de vibrações, podendo ocorrer até uma transfusão de energias. Por isto somos incentivados pelos instrutores a pensar em coisas boas e a nos ligar em pensamentos a algo ou espíritos bons, pois, ao fazermos isso, absorvemos suas vibrações. Aquele que tem mais dá ao que tem menos. Ao pensarmos coisas ruins, nos ligamos a espíritos afins e deles recebemos as más vibrações, quando não somos por eles vampirizados, isto se estamos encarnados. Podemos também permutar vibrações de desarmonia e angústias. Você encarnada, na época pensando forte, se ligou ao seu amigo desencarnado que, mesmo socorrido num hospital, estava ainda enfermo, e ocorreu a troca de fluidos. Você, não pensando mais nele tão insistentemente, se desligou e melhorou. Devemos orar para todos, mas nestas orações não devemos atrair para nós nada que o outro esteja sentindo. Mas, sim, enviar à pessoa que oramos bons fluidos, de ânimo, paz e alegria.

– Patrícia, por que há tantos desequilíbrios? São muitos os desencarnados, perturbados, também vemos encarnados com cérebros danificados portando doenças mentais. Este assunto me intriga – falou Olavo.

– Você, Olavo, deu a designação certa – falei –, desequilíbrio. Encarnados quando se alimentam demasiado desequilibram o aparelho digestivo e uma má digestão certamente os incomodará. Do mesmo modo podemos nos equilibrar e desequilibrar pelos nossos atos. Ações boas nos equilibram nos harmonizando com a perfeição. Ações más danificam o perfeito, trazendo muitas vezes a doença e o sofrimento como causa deste desequilíbrio. Quando sofremos sem nos revoltar, acabamos por entender que foram nossos atos negativos que motivaram nosso sofrimento. Ao mudar nossa maneira de viver, teremos aprendido mais uma lição. Se não aprendemos pelo amor, acabamos aprendendo pela dor. A mente, o corpo não são construídos por nós, apenas os desenvolvemos. Tanto a mente como o corpo anseiam pela harmonia que compõe a natureza. Esta harmonia só é possível quando não há interesse pessoal e quando todos trabalharem com um único objetivo, o do Bem comum. Agindo egoisticamente nós nos separamos espontaneamente do movimento da vida. É como se o feto recusasse o sangue da mãe que lhe sustenta. A mente, o corpo, privados dos fluidos cósmicos pelo egoísmo, entram em estado de perturbação. O remorso destrutivo desequilibra muito. Muitos, ao desencarnarem, percebem o tanto que erraram e perturbam-se demasiado. Sem um preparo especializado das Colônias, uma compreensão, estes desencarnados ao reencarnar passam para o corpo este desajuste. Estas deficiências também podem ocorrer quando abusam do corpo perfeito, danificando-o com drogas ou matando-o; podem, então, ser privados em outra encarnação de um corpo perfeito. Também o desequilíbrio mental pode ser causado por abuso da inteligência, prejudicando a outros. As anomalias físicas não existem como punição de Deus, mas sim como conseqüências do nosso remorso destrutivo, de uma vivência com fins próprios e não como participantes da humanidade. Reconhecer que erramos é fundamental. Punirmo-nos, por incrível que pareça, é uma atitude de egoísmo. Que seria mais agradável a Deus: ser um aleijado, um peso para a sociedade, ou reconhecer nossos desacertos e preparar-nos convenientemente e sermos um daqueles que constroem e enobrecem os seres humanos? Certamente, a segunda hipótese.

Helena pediu para falar, atendida, nos deu uma preciosa lição.

– Encarnada, tive uma deficiência mental. Meu cérebro não funcionava normalmente. Doenças? Foram várias e a medicina tinha muitas explicações. Tomei muitos medicamentos. Desencarnei após sofrer muito. Que fiz para ter vivido assim? Este fato veio me incomodar após ter melhorado no hospital desta Colônia. As lembranças do passado vieram fácil à minha mente. Quando encarnada tinha estas lembranças e não as entendia, vinham como sensações desagradáveis a me incomodar. Meus erros foram muitos, me marcando profundamente, recordações que meu espírito transmitia ao meu cérebro físico de forma incerta levando-me a me perturbar mais. Não quero e não vou falar dos erros do passado. Vou contar a vocês a minha experiência como doente mental. Não generalizo, narro a minha experiência particular. Encarnei por afinidades numa família de classe média, tendo assim assistência material e também afetiva. Desde criança já era considerada estranha e esquisita. Quando entrava em crise falava coisas desconexas, dizendo ser outra pessoa, ter outro nome, ser alguém desconhecido. Sentia realmente assim, ser duas. Na adolescência, piorei muito. Fui internada em hospitais, onde sofria muito com a separação dos meus e com os medicamentos. Ora agia como uma, ora agia como outra. Havia também períodos de melhoras, era nestes que reconhecia ser doente e os outros normais. Queria me curar, envergonhava-me dos meus vexames. Irritava-me e sofria com as chacotas e risos dos outros. Não queria dizer besteiras, não queria ser ridícula. Não era agressiva, a não ser quando me irritava e xingava as pessoas. Era católica, ia muito à igreja quando estava calma. Quando estava nervosa, minha mãe não me deixava ir, porque não parava quieta, incomodando as pessoas. Gostava de ir à igreja e de ver Nossa Senhora Aparecida a quem chamava de Parecidinha. Não rezava de forma decorada, mas minha contemplação era minha oração. Familiares e conhecidos, para me chatear, mexer comigo, diziam que iam bater na imagem de Nossa Senhora, então chorava desesperada. Só parava quando alguém me garantia que não ia deixar que batessem na minha santinha. Fugia muito de casa para passear pelas ruas andando de um lado a outro; quando me cansava, voltava para casa. Dei muitos vexames e sofri por isto, não queria ser daquele jeito. Era para meu orgulho um enorme ridículo. Aprendi muito nesta encarnação, desencarnei doente, com muitas dores e uma equipe de socorristas, que trabalhava em nome de Maria, veio me socorrer. Sarei após um bom e longo tratamento no hospital da Colônia e digo-lhes que também perdi o orgulho que foi minha pior doença.

Completei com a explicação:

– Quando o desequilíbrio mental é muito grande, pode se perder a capacidade de ser um ser humano sadio. A recuperação só se faz com o auxílio de outros espíritos e de reencarnações, onde se recebe dos pais um cérebro perfeito que pode ser danificado com o desequilíbrio. O equilíbrio vem pouco a pouco como água limpa em caixa suja, renovando acaba por limpar todo o ambiente. Pela bondade de Deus, que nos concede a reencarnação, se consegue o reequilíbrio. São muitas as causas que levam os encarnados a terem doenças mentais e suas sensações diferem de uma pessoa a outra. Tenho escutado muitas narrativas diferentes de pessoas que encarnadas tiveram deficiências mentais. Não existem duas experiências iguais. Mas normalmente são recuperações difíceis, pela dor aprende o que se poderia muito bem tê-lo feito pelo amor. Temos para meditar a narrativa de Helena. Não devemos ironizar o doente, porque poderíamos ser nós a passar por esta experiência de recuperação.

Não tendo mais comentários, a aula terminou com muito proveito para todos.

Amor e Desapego

Paula tudo escutava e ficava pensativa. Não tinha muito tempo de desencarnada. Saindo de suas reflexões, indagou:

– Será que um dia irei gostar da vida de desencarnada? Sinto muita falta de tudo que era meu.

Carlos Alberto demonstrou vontade de responder à colega, Notando isto, dei-lhe permissão para falar.

– Paula, também já me senti assim. Fiquei revoltado ao desencarnar. Não queria tê-lo feito, fui tirado da vida física cheio de vitalidade, sonhos, planos, estava casado e com duas filhinhas para criar. Pensei muito, por que eu? Com tantos querendo morrer e continuando encarnados, eu que gostava tanto da vida encarnada, desencarnei. Minha avó com muita paciência tentava me confortar, me dizia sempre:

– Carlos Alberto, aqui você não terá a competição de um trabalho estafante, não ficará doente, não sentirá frio ou calor. A vida aqui é tão boa!

– Gosto do trabalho competitivo, aprecio a luta pela sobrevivência, gosto do frio, nada mais agradável que sentir calor e as doencinhas quebram a rotina – respondia, sincero.

Com o tempo, acabei conformado com o inevitável. Após muitos anos, entendi o porquê de ter me sentido deste modo, foi por não estar preparado, por não ter informações verdadeiras da desencarnação. Amava muito e de maneira incorreta a vida material para entender a vida espiritual. Foi quando me tornei útil que passei a amar a vida, sem me importar se estava encarnado ou desencarnado. Paula, por que você não aprende a amar? Todas as faces de nossas existências, seja no Plano Físico ou Espiritual, nos são úteis.

Achei muito válida a opinião de Carlos Alberto. Indaguei Paula querendo ajudá-la, como também para elucidar a turma sobre esta questão de interesse de todos, que não estava nos planos de aula.

– Paula, tenho notado que você se queixa muito. Você agia assim quando encarnada?

– Acho que sim, tinha reumatismo que me incomodava muito, morava com meu filho e não me dava bem com a nora e...

– Paula – interrompi –, muitos de nós costumamos reclamar por não aceitar o que temos e o que somos. Quando encarnada você se queixava de muitas coisas, não mudou ao desencarnar. Ninguém muda de imediato. Para mudar, necessita-se de muita compreensão. Temos sempre muitas possibilidades de ser felizes, só que quase sempre não as percebemos. Muitas vezes se prefere desejar algo que não se tem, na ilusão de ser, ou ter. Colocamos muito nos atos externos ou em terceiros a nossa tão falada felicidade. E, na maioria das vezes, ao conseguir o que almejamos, a euforia passa logo e desejamos, logo após, outras coisas. A tão sonhada felicidade está dentro de nós. Não importa onde estejamos e o que fazemos, atos externos não devem influir na nossa Paz interior. Muitos acham que só serão felizes desencarnados. Outros que só a vida encarnada lhes trará alegrias. Ao colocar fatos externos como condições para sermos felizes, não seremos. Como também não devemos esperar que outros resolvam para nós nossas dificuldades. Enquanto não solucionarmos nossos conflitos de ter e ser, seremos insatisfeitos em qualquer lugar que estivermos. A felicidade duradoura está na Paz conquistada, na harmonia, no equilíbrio, na alegria de ser útil, no Bem e ao caminhar para o progresso. Creio, Paula, que irá gostar da vida desencarnada quando sua felicidade não depender de nada ou de ninguém, quando não esperar recompensas, retorno, quando não exigir nada, quando você amar a si mesma, a vida e a todos que a rodearem.

– Patrícia, por que não falamos um pouco sobre o amor? – disse Heloísa. – Sobre o Amor e o desapego.

O assunto era deveras fascinante, tentei elucidar a turma.

– Amar, mesmo que seja de forma egoísta, todos os seres humanos o fazem, nem que seja a si mesmos. Amar de forma verdadeira, sem egoísmo e posse, demonstra que se aprende. Amando verdadeiramente anulamos erros e irradiamos alegrias a nossa volta.

Amar e desapegar-se dos seres que amamos não é fácil. Encarnados, quando aprendem a se desprender de tudo que lhes é caro, chegam a ter sensações de dores, porque sufocam a ilusão de ter. Amar tudo, dando o valor e saber que tudo nos é emprestado. Emprestado por quem? Pelo nosso Criador. Com objetos emprestados, cuidado dobrado. Sim, realmente, tudo nos é emprestado, já que não somos donos de nada material, não possuímos nada. Nosso amor por tudo deve ser incondicional. Usar o que nos é permitido, sem abusar. Dar valor à casa que nos serve de lar, às roupas que vestem o corpo, ao local em que trabalhamos, onde recebemos o dinheiro para o sustento material, enfim, a todos os objetos que nos são úteis. Porém, teremos um dia que deixar tudo para outros, e que os deixemos da melhor forma possível para que eles possam desfrutar dos objetos emprestados tanto quanto nós. Até o corpo físico temos que devolver à natureza. E como esta devolução é difícil para muitos.

Até aí, parece fácil, embora saibamos que muitos, possuídos pelo desejo de ter, esquecem deste fato, apegam-se a coisas, objetos, julgando ser deles e, quando desencarnam, não querem deixá-los e a eles ficam presos. Há uma parte mais difícil, amar nossos entes queridos sem apego. Quase sempre nos julgamos insubstituíveis junto daqueles que amamos, que ninguém os ama mais que nós e que somos impreteríveis na vida deles. Apegamo-nos assim a entes, esquecendo que eles também são amados por Deus e que somos companheiros de viagem, cabendo a cada um caminhar com seus próprios passos. E muitas vezes nesta caminhada somos levados a nos distanciar um do outro, mas afetos sinceros não se separam. Podem estar ausentes, não separados. Deixar que estes afetos sigam sozinhos, sem nós, é algo que devemos entender. É o desapego. Ao desencarnar, ausentamo-nos do convívio com nossos entes queridos. Se não entendermos, consideraremos esta ausência como separação definitiva. Precisamos aprender a amar com desapego, ampliar o número dos nossos afetos, sem a ilusão da posse. Se formos chamados a nos ausentar, pela desencarnação, continuemos a valorizá-los, respeitando-os, ajudando-os. Estaremos no caminho do desapego, mas continuaremos a amá-los da mesma forma.

Terminei de falar e lembrei de Luiz, de sua história, que poderia bem ilustrar este assunto. Convidei-o a falar de si para toda a classe. Sabendo que sua narrativa seria importante para todos nós, Luiz começou a falar:

– Minha vida transcorria com normalidade. Minha família e eu vivíamos numa propriedade rural, ganhávamos nosso pão com o trabalho honesto. Apesar de muitas dificuldades, éramos felizes, aprendemos com nossos pais a confiar em Deus e trabalhar. Estava só com cinqüenta anos quando desencarnei. Quando me dei conta, sem saber quanto tempo havia passado, estava num ambiente agradável e fraterno. Passados uns dias, senti em meu interior uma preocupação com a minha família, que foi aumentando a cada instante.

Quando o médico que nos atendia chegou para sua visita diária, externei minhas preocupações que se transformavam numa grande angústia quase insuportável. Com muita atenção e carinho ele me esclareceu que havia morrido, desencarnado, que estava num Posto de Socorro e que a sensação que sentia era percepção psíquica do estado mental por que passava minha família naquele momento difícil. Sentia daquele modo porque era como se eu vivesse cada um dos pensamentos e angústias da minha esposa companheira e de meus filhos. Explicou-me também que todo sentimento muito forte em relação a uma ou mais pessoas nos une mentalmente a elas, que estamos ligados pelo amor ou pelo ódio. E eu estava ligado aos meus afetos. Ensinou-me também que eu no momento não podia fazer nada por eles a não ser orar, pedindo a Deus que lhes concedesse paz, amor, harmonia e a aceitação do ocorrido, pois a morte de um ente querido é quase sempre muito dolorida. É um fato que irá acontecer em todas as famílias, não por estarmos sendo punidos, mas sim por circunstâncias naturais do ciclo da vida. E, para que haja vida, é necessário o nascimento e a morte. Deveríamos aceitar o fato assim como ele é, não como queríamos que fosse.

Aquele ensino dirigido a mim com palavras tão carinhosas não foi suficiente para aplacar minha angústia e preocupação, que aumentaram sabendo que estava morto, desencarnado. Minha decepção e frustração eram terríveis, pois fui durante toda minha vida física muito religioso, temente a Deus. Obedecia sem questionar, como lei, a catequese de minha religião e acreditava nas palavras daquele que se dizia digno da possibilidade de doar bens divinos. E agora! – pensava aflito –, estava morto e não estava no céu, em paraíso nenhum! Não conhecera Jesus Cristo! Mas, ponderava para mim mesmo, estava sendo bem tratado num local muito limpo e com carinho. O enfermeiro de plantão, Antônio, do qual me tornei amigo, me dava toda assistência e nada me faltava. Mas tudo aquilo não foi suficiente para aplacar minha decepção e desejo de estar junto deles.

Pensei muito, encontrei tudo muito diferente do que imaginava. Mas, se tivesse céu como acreditava, as pessoas que fossem para lá, para serem felizes, teriam que perder a individualidade. Porque, para mim, nenhum lugar seria um paraíso, separado dos meus. Achava que tudo que desfrutei quando encarnado era meu: casa, sítio e a família. Bens materiais adquiri pelo trabalho honesto, mas estes não me importei em deixá-los, ainda mais que os deixei para os que amava.

Chamei o enfermeiro e perguntei se podia falar com o responsável por aquele hospital. Logo ele voltou com a resposta que, como eu estava bem, iria ter alta no dia seguinte e nesta ocasião o diretor iria falar comigo. Não consigo descrever como senti lento o tempo que esperei para chegar o momento da minha liberação do hospital.

O que agravou ainda mais meu estado emocional foi o conflito de meus pensamentos, a preocupação com minha família. Eu estava morto. Não estava preparado para o mundo que encontrei. Não sabia onde estava e nem o que ia fazer nesta nova vida. Sentia os familiares em dificuldade e não tinha mais o corpo físico. Como ajudá-los?

Foi em meio a todo este conflito e perguntas sem respostas que chegou Antônio com roupas novas nas mãos, entregou-as a mim e pediu que me trocasse, pois o diretor do hospital estava a minha espera para a entrevista tão desejada.

Aquelas palavras caíram como bomba em cima de mim, pois até então eu estava sendo bem atendido. As minhas dificuldades eram somente os conflitos dos meus pensamentos. Depois desta entrevista, seria liberado, para onde iria? Iria fazer o quê? O que um morto faz? Onde realmente estava? Foi com uma sensação indescritível de desamparo que me pus a caminho com Antônio.

Mas qual não foi minha surpresa, quando fui recebido pelo diretor. Se me sentia desamparado por Deus, ao ver aquela pessoa bondosa e atenciosa, senti logo o amor que emanava dele. O sentimento de desamparo desaparecia à medida que conversávamos, chegando a ponto de não me sentir mais decepcionado por não ter me encontrado com Jesus Cristo, pois encontrava ali um representante Dele.

Com muito amor, o diretor foi me explicando tudo e delineando a minha recente maneira de viver, com a minha nova acomodação e afazeres. Passado um tempo, acostumei, assumi a nova vida e gostei muito do local em que vivia. Era deveras bom, lugar de muita harmonia e fraternidade. Mas continuava a sentir minha família em dificuldades.

Explicaram-me que com o tempo minha família se acomodaria com a nova situação. Com o passar do tempo, sentia minha companheira mais conformada com a minha falta, porém ela estava angustiada e o motivo não era a minha desencarnação, mas uma das minhas filhas.

Não estava suportando senti-los com dificuldades, comecei a ter remorso e este foi aumentando. Que esposo, que pai era eu? Enquanto eles sofriam eu vivia num lugar extraordinariamente bom. Fui falar com meu superior e confessei minhas preocupações. Ouvi dele conselhos e explicações. Eu não tinha conhecimentos suficientes para ajudá-los. Mas, apesar de todas as recomendações, não mudei de atitude, achei que, se nada pudesse fazer por eles, iria sofrer junto. Não queria ter aquela vida maravilhosa e saber que eles sofriam. Queria ser solidário com eles, se chorassem queria abraçá-los e chorar também. Se eram perseguidos, que me perseguissem, se machucados, que sentisse a dor de suas feridas.

Pedi, insisti para voltar ao lar. Diante de minha resolução, meu superior autorizou minha volta. Nossos desejos são sempre respeitados, quis voltar e o fiz. Apesar das explicações e recomendações achei que estava preparado. Não estava. As dificuldades foram muito maiores do que esperava.[1]

Chegando em casa deparei com dois mal encarados, desencarnados perturbados na maldade. Ao me ver, perguntaram se eu viera ver meus familiares sofrerem. Eles obsediavam uma das minhas filhas e estavam prejudicando, infernizando toda a família. Quis impor a minha autoridade, era o chefe daquela família, dono daquela propriedade. Quis expulsá-los, eles se recusaram a sair. Isto me levou a ficar nervoso e era o que eles precisavam para que eu me perturbasse ao contato com a vibração ambiente.

---

[1] N.A.E. – É normal querer ajudar os que amamos. Mas só ajudamos quando preparados e este preparo não tem tempo fixo. Dependendo de muitos fatores, é rápido para uns e mais demorado para outros. Podemos ajudar com conhecimentos e segurança, quando os orientadores do local que nos abriga nos julgam capazes. Mas, mesmo assim, nossa ajuda é limitada, pois cada qual tem a lição que lhe cabe fazer.

Senti primeiro uma violenta dor de cabeça e logo em seguida uma agonia como se tivesse desencarnado naquele instante. E me perturbei por um tempo que não sei precisar quanto. Minha permanência perturbado só piorou a situação dos meus. Voltei ao equilíbrio numa reunião Espírita onde me senti unido a uma pessoa e havia outra conversando comigo, me explicando que precisava de auxílio e que Deus, através de seus próprios filhos, estava me socorrendo.

"Preciso ajudar os meus" – respondi.

"Para ajudar é preciso saber" – esclareceu o orientador encarnado desta reunião. "Não se preocupe, os seus também estão sendo ajudados. Como também os agressores de sua família. Não querendo ter inimigos, é necessário torná-los amigos. Estamos providenciando para que isto seja um fato."

Senti-me melhor e o orientador me convidou:

"Amigo, queira o socorro oferecido, vá viver uma vida digna de um desencarnado. Será que é este tipo de vida que seus familiares querem para você?"

"Não" – falei –, "eles me querem bem, pensam que estou no céu e que sou feliz."

"Por que você não faz o que eles querem? Por que não aprender a amar com desapego? O amigo não está esquecendo que eles são, como você, filhos de Deus? Se você foi chamado a viver de outro modo é porque findou seu tempo como encarnado. E não é egoísmo a felicidade que irá desfrutar numa casa de auxílio no Plano Espiritual se a teve por merecimento e afinidade. Faça o que tem que ser feito. No momento é viver num abrigo para desencarnados, estudar e trabalhar, sendo útil, como foi encarnado. Vá, amigo, fazer o que lhe é devido, não se envergonhe de ser feliz, porque, ao estarmos bem, irradiaremos alegrias que beneficiarão os outros."

Mais tarde, já adaptado na Colônia, vim a saber que o namorado de outra filha era filho de um senhor, dirigente de um Centro Espírita, e o rapaz, vendo o que acontecia em minha casa, pediu ajuda ao seu genitor e este auxílio não se fez demorar. Fomos todos orientados naquela reunião, os dois que os atormentavam e eu. Com nossa retirada, a situação melhorou muito. Minha esposa achou que alcançou uma graça que pediu a uma santa e a uma senhora desencarnada na cidade, que é tida como milagrosa, pois quando encarnada foi muito boa. Soube mais tarde que esta senhora não pôde na época ajudá-los. E eles nem ficaram sabendo que receberam tanto de desconhecidos, de um Centro Espírita.

Hoje, estou bem, visito-os sempre e tento ajudá-los dentro dos meus limites. Uma família grande sempre tem problemas, mas não me desespero quando não tenho como auxiliá-los.

Luiz deu por finda sua narrativa, deixando-nos silenciosos. Talvez porque todos nós já tínhamos passado por problemas parecidos e todos estávamos dispostos a aprender a amar sem apego.

Após a aula, meditei sobre o assunto. Muitos encarnados me têm pedido ajuda, talvez por achar que posso muito, ou pelo que escrevi. Porém, nada sou, pouco posso. Esforço-me para aprender, trabalho, almejo caminhar no Bem rumo ao progresso. Devido ao meu trabalho e estudo, não atendo a estes pedidos. Porém, não ficam sem resposta. A personalidade não deve ser cultuada. Os bons atendem em nome da fé, da sinceridade, sem se importar de quem vem o pedido. Tantos desconhecidos dos encarnados, mas ativos no Plano Espiritual, atendem estes pedidos. São obreiros, samaritanos, humildes trabalhadores dos Centros Espíritas, desencarnados amigos e protetores dos que pedem. Fazem por amor, pelo prazer de servir.

Deve-se pedir a Deus, a Jesus, ao anjo protetor, que os bons desencarnados atendem, ajudam no possível.

Concluí meus pensamentos com a certeza de que amo muito e que minha família aumenta, quero amar toda a humanidade. Mas tenho pelos meus, imenso, infinito carinho, só que com desapego. Amo-os sem posse. É o que todos nós devemos fazer: amar com desapego.

Um Pedido Diferente

Ao sair da classe, fui informada que havia uma visita para mim que me aguardava no jardim em frente da escola. Ao aproximar-me do local, veio ao meu encontro uma moça extremamente agradável.

– Patrícia! Sou Elisa! Gostaria de conversar com você.

– Oi, Elisa, como está? Sentemos aqui.

Convidei-a e sentamos num banco embaixo de uma frondosa árvore. Minha recém-conhecida falou de modo delicado.

– Patrícia, vim lhe pedir uma ajuda muito especial. Na Casa do Escritor, me informaram que a acharia aqui. Antes fui procurá-la num Centro Espírita em que ouvi falar que você se manifestava. Fui e me decepcionei, não era você.

Sorri, compreendendo.

– Elisa, isto tem ocorrido. Amo Centros Espíritas e muito mais a doutrina que já abraçara encarnada. Após meus estudos de Reconhecimento do Plano Espiritual, em que fui em alguns Centros Espíritas para conhecer e estudar, não tenho ido mais. Quando vou à Terra, vou para ver meus familiares e, quando dá, vou somente ao Centro Espírita que meus familiares freqüentam para estar com eles e rever amigos. Isto porque optei por estudar e trabalhar com desencarnados em Colônias.

– Achei que você estava ditando mensagens por outros médiuns – falou Elisa.

– Tudo o que faço e que farei é com muito amor – repliquei. – Não é meu trabalho desenvolver médiuns, tarefa que exige muito preparo e paciência. Também não tenho como incumbência ser protetor de ninguém. Nem escrevo por outros médiuns que não seja por minha tia Vera. Isto porque nós duas nos preparamos durante anos, quando estávamos desencarnadas, para este trabalho. Reencarnamos e tivemos, encarnadas, grande afinidade, eu conseguia transmitir a ela o que pensava.(1) Programando nosso trabalho, nós o executamos esforçando-nos para que saia o melhor possível. Tenho recebido muitas manifestações de carinho por estes livros. Meu afeto por todos é sincero e profundo. Gostaria de estar perto de todos os que desejam minha presença, mas é impossível, meu trabalho é nas Colônias e não posso estar em muitos lugares ao mesmo tempo.(2)

– Você vai muito visitar seus pais? Comunica-se no Centro Espírita que eles freqüentam?

– Estou com eles sempre que me é possível.(3) Meus familiares e eu somos espíritos afins, unidos por um afeto puro e desinteressado. Na reunião que eles freqüentam, não se valoriza o nome do comunicante, mas, sim, o bem que sua presença ou comunicação proporciona aos que estão presentes, sejam encarnados ou desencarnados. Quem organiza a parte espiritual é nosso grande amigo Artur e seus colaboradores que são uma quantidade enorme de Josés, Anas, Joaquins, Marias, Antônios e muitos outros nomes comuns esquecidos dos homens mas conhecidos de Deus. Meu pai nunca me invocou nem dei comunicação de forma espontânea.

---

(1) N.A.E – Fato presenciado pelos familiares.

(2) N.A.E – Eu, Patrícia, autora dos livros *Violetas na Janela*, *Vivendo no Mundo dos Espíritos*, *A Casa do Escritor* e este, *O Vôo da Gaivota*, afirmo que não me manifestei e nem tenho me manifestado em nenhum lugar ou Centro Espírita nem por nenhum outro médium, seja pela psicografia ou pela psicofonia. Recomendo muita cautela a este respeito. Para que entendam bem o processo, sugiro que leiam e meditem sobre o capítulo "O Engano" do livro *Aconteceu* de Antônio Carlos.

(3) N.A.E – Agora que trabalhamos neste livro, como sempre com muito carinho, venho só nos horários certos para ditar à tia Vera. Continuo a estudar e a lecionar nas Colônias de Estudo. Por opção, venho à Terra só para este trabalho.

Reconheço que nestas reuniões sou aprendiz e que até meu pai encarnado sabe muito mais do que eu. E, quando lá vou, o faço para escutar e aprender. Mas você veio pedir ajuda. De que se trata?

– Sei que os trabalhadores da Colônia Casa do Escritor têm atendido em seu nome inúmeras pessoas. Sei também que ao pedirmos nem sempre seremos atendidos por aqueles a quem fizemos as rogativas, pois muitas vezes são outros espíritos que nos socorrem. Entretanto, me foi permitido vir até você. Moro na Colônia Perseverança, trabalho como enfermeira em um dos hospitais. Estou de licença no trabalho para cuidar de um assunto particular. Mas, analisando bem o problema que quero resolver, compreendi que não tenho como resolvê-lo sozinha. Conversando com um socorrista do Umbral, ele me informou que para este tipo de trabalho seria aconselhável pedir ajuda a um Centro Espírita, a uma pessoa que possui forças mentais e que sabe usá-las. Ouvi surpresa ele me dizer que seu pai saberia me ajudar. Em vez de ir ao Centro Espírita onde ele trabalha, vim primeiro até você. Se me ajudar e interceder por mim junto a eles, o grupo do qual seu pai faz parte certamente me ajudará.

– Certamente – respondi rindo. – O que não fazem os pais pelos filhos? Você é esperta...

Achando que me devia mais explicações, Elisa continuou a falar.

– Fui, quando encarnada, muito doente. Logo que desencarnei fui socorrida. Recuperei-me rápido e amei estar desencarnada e a Colônia para onde fui levada. Desencarnei jovem, vinte e três anos, deixei encarnados meus pais e dois irmãos que muito me amam e que me ajudaram muito com suas orações. Estava contente, estudava e trabalhava. Foi então que algo começou a me inquietar. Sentia grande necessidade de recordar minha encarnação anterior, estava ligada a acontecimentos que talvez tivesse que solucionar, tinha muita vontade de lembrar. Fui, então, procurar ajuda no departamento próprio e pedi para recordar meu passado. Estudando meu pedido, o pessoal especializado me atendeu e recordei. Compreendi que minha preocupação era com um espírito a quem sou muito ligada, inquietava-me por ele. Só que não sabia dele e quis encontrá-lo. Após algumas pesquisas, tomei conhecimento de que Walter está desencarnado e em um local do Umbral. Tive culpa por ele cair no erro. Estou tão triste por ele estar lá.

Elisa enxugou algumas lágrimas, aquietando-se por alguns segundos; respeitei seu silêncio e aguardei, logo ela continuou:

– Walter está no Umbral, numa fortaleza, o chefe do local é muito perigoso.

– Ele pediu ajuda? – indaguei.

– Não, ele não tem condições para isto. Se ele tivesse pedido, um socorrista já o teria tirado de lá. Ele está muito iludido, completamente perturbado. Sofre, esquece do Pai Maior e julga-se esquecido.

– Socorrer alguém sem que ele queira é difícil – falei.

– É por isso que venho pedir para você me ajudar. Se tirarmos ele de lá e o levarmos ao Centro Espírita para receber orientação por uma incorporação, ele irá querer o socorro – falou Elisa esperançosa.

– Elisa, por que Walter está perturbado?

– Resgate, Patrícia, mas também pelos tóxicos. Sei que é uma ajuda difícil. Drogados dão muito trabalho, ainda mais os que não querem socorro. Mas eu o amo tanto!

Seus olhos meigos encheram-se novamente de lágrimas. Sorri, animando-a e pedi:

– Conte-me tudo.

– Sabendo onde Walter está, fui à Colônia em que esta região do Umbral está vinculada.[4] Pedi a eles informações e para assistir por "vídeo"[5], conhecendo o lugar. Entristeci-me mais ainda. O local é horrível. Chama-se Túnel Negro. É uma construção e

---

[4] N.A.E – O Umbral é separado, para melhor haver socorro, por regiões e estas estão vinculadas a uma Colônia. Ex.: uma cidade de encarnados tem seu Umbral, Postos de Socorro e Colônia. As regiões como as cidades do Umbral têm nomes e estas designações são muito repetidas.

[5] N.A.E – A palavra "vídeo" foi usada apenas como identificação, para que o leitor tenha uma idéia aproximada do que seja esse aparelho.

tem só um portão de entrada. O chefe deste lugar chama-se Natan e juntamente com outros desencarnados afins, ou seja, um bando, fazem experiências com os toxicômanos desencarnados que vão lá. Muitos ali sofrem horrores. Indaguei aos instrutores como faria para libertá-lo de lá e eles me disseram que num ambiente trevoso daquela espécie era necessário algum espírito ou espíritos que tivessem conhecimentos em manipular forças primárias. E um encarnado o faria com mais facilidade, pois, apesar de os desencarnados serem bons, têm suas limitações já que não mais possuem vibrações primárias.[6] Também não bastaria só tirá-lo daquele lugar ruim. Liberto, não poderia trazê-lo para um socorro que não quer, estando revoltado, abobalhado e perturbado como se encontra. Não poderia deixá-lo vagando no Umbral, porque seria novamente enturmado a seus afins e talvez ficasse em condições piores. Ou cairia em outras armadilhas que só lhe trariam sofrimentos, podendo também vagar entre os encarnados, procurando seus afins e ficando pior ainda. Para ajudá-lo a querer regenerar-se, aconselharam-me que teria que orientá-lo, fazendo com que entendesse que estava errado. Mas, no estado em que se encontra, não irá me escutar. Tendo o choque da incorporação, receberá do médium e dos orientadores, encarnados e desencarnados, que sustentam a reunião, o equilíbrio de energias psíquicas de que necessita. Recebendo mais se o médium for equilibrado. Compreenderá seu estado de desencarnado e, recebendo uma boa orientação, poderá querer o socorro

---

[6] N.A.E – Vibrações ou energias primárias são mais materiais, as quais espíritos ligados à matéria possuem e encarnados também, por terem o corpo físico. Espíritos bons e esclarecidos normalmente não as possuem, pois estão mais voltados para o plano espiritual, mas podem comandar os que têm. Elisa se referiu a quem lhe deu informações, a ela e a mim, já contando com minha ajuda. Para auxiliar espíritos trevosos é necessário saber e nós duas não havíamos aprendido. E quem manipula as forças primárias são os que já se libertaram dos condicionamentos do mundo físico e a natureza obedece as suas ordens.

e assim eu o ajudarei.[7] Como vê, seu pai se encaixa bem na ajuda de que preciso.

Fez uma pausa e continuou:

– Walter desencarnou jovem, completamente dominado pelo tóxico, foi assassinado após uma briga com outro companheiro de vício. Está tão perturbado que nem sabe o que lhe aconteceu. Patrícia, você não pode pedir por mim este favor a seu pai?

– O chefe não irá gostar se tirarmos Walter de lá – disse.

– É... Não irá gostar – Elisa respondeu preocupada.

– Você e eu não podemos – expliquei –, não temos conhecimentos e nem sabemos como enfrentar este chefe e seus seguidores. Para enfrentar desencarnados trevosos não basta só ser bom, é preciso saber como manipular o elemento primário que compõe a estrutura física da Terra. Esta força é uma só, os bons a usam para o Bem, os maus, para dominar, destruir e se impor. Este chefe possui estes conhecimentos e é inteligente, precisamos de alguém que o enfrente à altura. Vou levá-la até meu pai, certamente ele e seus companheiros desencarnados poderão ajudá-la. Meu pai antes de reencarnar trabalhou muitos anos como socorrista no Umbral. Conhece a região umbralina muito bem. E agora, encarnado, ele vai muito ao Umbral prestar socorro quando desligado do corpo físico pelo sono. Com certeza ele irá conosco tirar seu amado do Túnel Negro. Como também a equipe que trabalha no Centro Espírita é laboriosa e dedicada, ela nos acompanhará ajudando-nos neste socorro.

– Patrícia, foi difícil para mim entender que um encarnado pode ajudar a desencarnados que necessitam. Antes pensava que um encarnado só iria ajudar orientado no Centro Espírita em reuniões de desobsessões. Achava que só desencarnados fossem ao Umbral.

---

(7) N.A.E – Para muitos desencarnados, chegar perto de um médium orientado no Bem, receber seus fluidos, é como receber um choque que o faz despertar do seu torpor.

– Claro que não – respondi. – Muitos encarnados trabalham socorrendo, ajudando no Umbral. Como também muitos encarnados, desligados do corpo físico pelo sono, vão ao Umbral e nas suas cidades confabular com espíritos afins maldades, brigas, vinganças e também vão muito a suas festas.

– Eles não têm medo? – perguntou Elisa se assustando.

– Não. Todos nós, não importa se estamos vivendo num corpo físico ou não, quando sabemos e queremos, somos muito úteis trabalhando em socorro no Umbral. Aqueles que sabem fazer, devem e sempre temos muitas oportunidades de fazer o Bem. Quem sabe é porque aprendeu e conhecimentos são tesouros adquiridos. Não é certo pensar que só desencarnados têm como ajudar no campo Espiritual. Muitos encarnados também o têm e o fazem. Devemos pensar que os desencarnados que no momento ajudam com eficiência serão os encarnados de amanhã. E os que estão no Plano Físico, muitos foram os que socorreram com êxito anteriormente. Meu pai nesta encarnação é um homem comum com todos os problemas de uma pessoa vinculada às necessidades da sociedade. Mas também trabalha espiritualmente. Vai muito ao Umbral, embora seu tempo seja limitado pelo corpo físico. Ele é conhecido pelos maus, na região umbralina onde trabalha, como feiticeiro. Talvez porque durante centenas de anos trabalhou no Umbral onde adquiriu muitos conhecimentos.

– Patrícia, Natan, o chefe do Túnel Negro, é rancoroso. Conosco ele não poderá fazer nada, estaremos fora do espaço de sua ira, mas e seu pai? Certamente este chefe do mal ficará sabendo que foi o Sr. José Carlos quem nos ajudou. Estando seu pai encarnado, Natan poderá atingi-lo.

– Meu pai ama de forma especial estes desencarnados que temporariamente estão no caminho do mal. E, quanto mais espíritos trevosos o pressionam, mais ele se lembra do passado, aperfeiçoando-se pouco a pouco na forma de lidar e ajudar estes espíritos. E com ele trabalha uma equipe de desencarnados afins que o ajudará. São todos companheiros de trabalho. Tenho certeza de que a ajuda será bem maior do que você pensa.

Elisa sorriu, esperançosa. Tendo que voltar aos meus afazeres, despedimo-nos. Neste período em que trabalhei na Colônia Vida Nova, tinha muito tempo livre e fui com ela aventurar-me nesta ajuda que para mim foi um trabalho diferente.

No horário marcado encontrei com Elisa e volitamos até meu lar terreno. Lar é sempre o lugar onde somos amados. Eu sou muito amada. Ali era minha ex-casa terrena, mas sempre meu lar. Na sala, chamei por meu pai, ele, desprendido do corpo carnal, veio ao meu encontro.

– Papai...

– Patrícia, minha filha!

Abraçamo-nos. Vendo que tínhamos visita, sorriu cumprimentando-a.

– Papai, esta é Elisa. Necessita de sua ajuda.

– Sim...

Contei-lhe tudo.

– Vou ajudá-la. Patrícia, procure saber de todos os detalhes sobre este lugar. Amanhã à noite iremos lá, para que possamos planejar como libertar Walter. Agora, necessito continuar um trabalho.

– Amanhã mesmo traremos Walter? – perguntou Elisa.

– Não – respondeu meu pai. – Amanhã conhecerei o local e prepararei o Posto de Socorro que temos no Centro Espírita para receber os que traremos do Túnel Negro. Como também comunicarei aos meus companheiros desencarnados que trabalham conosco, para que eles também venham nos ajudar.

– Mas não vamos socorrer um só, o Walter? – Elisa perguntou novamente.

– Como ir lá e libertar um só? – disse meu pai. – E os outros? Como deixá-los lá? Se vamos socorrer, traremos todos os que querem ser libertados daquele lugar e os que estão como Walter, incapazes de decidir.

– Elisa – eu disse –, quando temos ocasião de socorrer, devemos fazer sempre, com os que sofrem ou os que se perderam no caminho do erro.

– Sr. José Carlos – Elisa falou novamente com sinceridade –, Natan, o chefe, é mau e...

– Mas é nosso irmão – respondeu meu pai. – Amanhã estejam aqui neste horário.

Despedimo-nos de meu pai. Na Colônia, despedi-me de Elisa, tinha uma reunião na escola. Combinamos nos encontrar logo de manhã para irmos ao Umbral. Iríamos nas proximidades do Túnel Negro obter informações e conhecer o local.

– Ainda bem que vamos durante o dia! – exclamou Elisa.

– É – respondi rindo –, mas à noite voltaremos.

Fui à reunião, onde os instrutores do curso trocaram idéias sobre o resultado obtido. Estas trocas de informações são muito úteis, os instrutores aproveitam muito. Após, fui até o orientador geral da Colônia Vida Nova onde estava temporariamente trabalhando e pedi autorização para fazer um outro trabalho nos horários que tinha de folga, o que me foi prontamente autorizado. Este outro trabalho seria a ajuda prometida a Elisa. O orientador geral do qual falei é o responsável pela Colônia. É chamado de muitos outros nomes, como governador, instrutor, etc. Trabalhando por pouco tempo ou por períodos indeterminados em um lugar, deve-se seguir as normas da casa e tudo o que se for fazer além do programado deve ser comunicado ou pedir permissão.

No dia seguinte, encontrei-me com Elisa e partimos para a interessante tarefa.

O Mandante do Crime

Como combinamos, pela manhã, Elisa e eu fomos ao Umbral. O local que íamos observar ficava num vale enorme e muito sujo. Nós duas conhecíamos o Umbral, tínhamos ido em época de estudo e para alguns trabalhos. Mas sempre temos algo para conhecer todas as vezes que vamos a uma das suas áreas. O Umbral difere muito de uma região para outra. E nunca havíamos estado naquela localidade. Elisa, como já tinha visto aquela parte, me guiou. Nenhum desencarnado que tem conhecimento do Plano Espiritual se perde no Umbral. Pode não achar o que procura e, se por acaso acontecer de não saber onde está, é só pensar na casa em que trabalha, a que está vinculado, para receber ajuda de um socorrista ou entrar em sintonia com a casa, em instantes acha-se o caminho de volta. Pode também receber orientação do local em que se encontra.

Como era de dia, o local tinha claridade, embora escassa como um entardecer na Terra. Naquela região há muitas pedras com mais ou menos um a dois metros de diâmetro, a maioria cinza-escuro. O lugar era de pouca vegetação, algumas árvores, pequenas e tortas pelo vento forte que costuma varrer o lugar. Alguns filetes d'água corriam pelo chão, de cor marrom, às vezes era só barro.

Logo chegamos nas proximidades do Túnel Negro. Vimos de longe uma grande e sólida construção. Não vimos nenhum desencarnado por perto, por ali não vagava ninguém. Mau sinal, significava que o local era temido; em lugares assim, sofredores e moradores que não pertencem ao bando nem passam perto.

Túnel Negro está localizado no Umbral na parte fácil de visitar, ou seja, no local mais ameno. Muitos dos socorristas para se locomoverem melhor pela região umbralina, e ter facilitados seus trabalhos, classificam o Umbral de três modos: lugares amenos, medianos e profundos, de difícil acesso, onde estão os abismos, buracos e onde é só quase trevas. Nós nos acautelamos. Tudo estava muito silencioso, às vezes ouvíamos gritos alucinantes ou gargalhadas perturbadoras. Não posso deixar de pensar que, se encarnada visse o Umbral, pensaria que estava dentro de um filme de extremo horror. Entretanto, é uma das moradas de meu Pai, lugar onde tantos irmãos fizeram moradia. Uns ali sofriam, outros reinavam e existem aqueles que de lá gostam, estes se iludem, pois são todos infelizes. A criatura só pode ser infeliz quando se distancia do seu Criador.

Uma trilha, um caminho liga o Túnel Negro a uma cidade dos encarnados. A trilha era de terra batida contornando as pedras maiores. Íamos em ziguezague.

Qualquer um no Umbral nos veria. Por vibrarmos diferente, se quiséssemos não seríamos vistas. Mas, como fazem os socorristas quando trabalham na zona umbralina, se tornam visíveis aos seus moradores, porque, sendo vistos, podem ser solicitados, facilitando os socorros. E em visitas ao Umbral temos sempre muitas oportunidades de ajudar e aprender.

De repente, ouvimos vozes. Para melhor observar o grupo que passava ficamos atrás de uma pedra maior perto da trilha. Como eles estavam distraídos não nos viram. Não queríamos que percebessem nossa presença. O bando passou pela trilha, eram seis, todos de aspecto ruim, armados, com roupas de couro e de tecido grosso, alguns estavam enfeitados com colares. As mulheres estavam muito maquiadas. Gargalhavam e falavam alto. Passavam rumo à cidade dos encarnados.

Bem perto de nós, dois deles, um casal, distanciaram-se do grupo, pararam para conversar. E nós os escutamos confabular:

– Nenê – disse o homem –, vamos ver se o garoto toma a primeira dose. Você sabe que é importante para mim vingar-me do pai dele. Orgulhoso, arrogante, sentirá vendo o único filho homem viciar-se e se tornar um nada, um inútil como a maioria dos viciados.

– Você não gosta mesmo de viciados – falou, rindo, a mulher.

– São uns fracos, uns bobos! – replicou ele. – Preste atenção, você tem que fazer com que alguma das mocinhas viciadas se aproxime dele e namore este garoto. E daí, apaixonado, ele estará a um passo de se drogar.

– O garoto ora muito e não se afina com as meninas que se drogam. Está sendo difícil...

– Não se queixe, trabalhe – falou ele autoritário –, fiz um grande favor a você e me deve este.

– Estou tentando...

Foram embora. Elisa não pôde deixar de comentar:

– Será que irão conseguir? Tomara que não!

– Como ela disse, é difícil forçar alguém que não se afina com as drogas a usá-las – respondi. – E, se o garoto costuma orar, acredito que não irão conseguir. Os encarnados devem estar sempre atentos a todas as tentações e seguir sempre o bom caminho, este é seguro e não traz o arrependimento que nos machuca tanto.

– É certo ele se vingar de alguém querendo atingir seu filho? – indagou Elisa.

– Vingança nenhuma é certa ou justa. O melhor é sermos sempre bons e ficarmos longe do alcance destes desencarnados que ainda querem vingança. E, como vimos, não será fácil eles se vingarem deste indivíduo atingindo o filho. Mas, se o filho se afinasse com as drogas, não precisaria nem incentivos. Depois, quem ora com sinceridade tem sempre alguém bom a ajudá-lo e proteger.

– Ua... á... – gritou alguém com voz soturna atrás de nós.

Elisa e eu voltamo-nos calmamente e ouvimos outro grito:

– Ai!...

Defrontamos com um desencarnado todo sujo com os cabelos espetados e com as roupas em farrapos.

– Satanás três vezes! – falou ele repetindo a frase depressa. – Que susto! Quis assustar e vocês me assustam. Vocês são horrorosas! Moças, estou só brincando, não me peguem.

Estava realmente assustado. Elisa me indagou:

– Patrícia, o que está acontecendo?

– Acho que ele tem o costume de assustar pelo Umbral.

– É isto aí! – falou nos olhando com medo. – Sou o rei dos sustos. Hoje me dei mal...

– Assustou-se conosco? – perguntou Elisa.

– Como não? É difícil ver duas senhoras assim...

Pensou em dizer feias, mas não disse. Saiu correndo. Rimos. Elisa comentou:

– Quem assusta, um dia acaba assustado.

– Ele confundiu-se – falei. – Vendo-nos achou que tinha tudo para ser um belo susto. Conversávamos distraídas atrás da pedra. Ao nos ver de perto, ele se decepcionou. Normalmente brincalhões não costumam brincar com socorristas. Temem-nos por não querer no momento sair de onde estão e sabem que eles podem pôr fim às suas brincadeiras de mau gosto. Confuso, assustou-se.

Saímos de trás da pedra e voltamos à trilha. Logo chegamos às proximidades do Túnel Negro. Escondemo-nos perto e ficamos observando. Não demorou muito, dois sujeitos esquisitos, parecidos com o grupo que vimos, entraram na fortaleza sem problemas. Aproximamo-nos atentas. Precavemo-nos, estávamos observando e não queríamos alertá-los. Porém, se algo saísse errado, eles não nos pegariam, temos alguns recursos para sair bem destas situações, como nos tornar invisíveis, volitar rápido e alguns outros que não devem ser mencionados no momento, para que não venham a ser do conhecimento de desencarnados moradores do Umbral.

Ficamos perto do muro. Túnel Negro é todo cercado por um muro largo e muito alto, talvez uns vinte metros. O muro é de cor marrom-escuro. A fortaleza só tem um portão. Na frente dele havia dois vigias, mas pelo que vimos não estavam atentos, conversavam e, às vezes, entravam. Conseguimos ver que logo após o portão havia uma sala onde uma mulher, uma atendente, dava informações e recebia a todos que chegavam ao Túnel Negro.

Não fomos lá para entrar, cautelosamente observamos tudo. Deu também para ver que, no meio da construção, há uma torre bem alta. Local certamente de observação.

O movimento era bem pequeno, talvez pelo horário e também porque Túnel Negro não é um local de muitas visitas. É mais restrito aos moradores e viciados.

Depois de ver tudo o que nos interessava saímos sem sermos notadas. Não voltamos pela trilha, íamos perto dela, alguns metros ao lado.

– Patrícia – exclamou Elisa –, vai ser difícil!

– Que nada, ânimo! Tiraremos Walter de lá.

Foi quando escutamos:

– Ei, sua branquela! Ei, neguinha! Podem me ajudar?

– Quê? – Elisa exclamou.

– Por favor – corrigiu a voz –, as senhoras podem me ajudar?

No Umbral escuta-se muitas coisas desagradáveis, às vezes obscenas, para as quais não se deve dar importância. Foi a voz, que nos parecia ser de alguém que sofria, que fez minha companheira responder. Voltamos para o local de onde veio a voz e nos deparamos com um homem sentado no chão.

– O senhor está nos pedindo ajuda? – indaguei.

– Queiram me desculpar, pensei que não iam me ouvir ou atender.

– Está desculpado – disse Elisa. – Mas o que quer?

– São espíritos bons? Pela aparência e roupas só podem ser. Estou preso aqui e quero sair.

Nós o examinamos. Era um homem de uns sessenta anos, deveria ter esta idade quando desencarnou. Estava sujo, descabelado e machucado. Estava sentado, porque estava acorrentado por uma perna, a direita, a uma estaca no solo.

Seria para nós bem fácil libertá-lo. Esta corrente como tudo que existe no Plano Espiritual é do mesmo material que nosso perispírito é composto. Poderíamos arrebentar a corrente com nossa força mental. Devemos analisar sempre antes de fazer uma ajuda deste tipo. Porque não basta só libertar. Temos que prestar atenção para não prejudicar mais ainda o desencarnado preso. Se o libertássemos para onde iria? Que faria? Seria aprisionado novamente? Neste caso, seria pior, ele sofreria mais ainda.

– Quem o prendeu? – Elisa indagou.

Olhei-o fixamente e convidei-o mentalmente a não mentir. Se o fizesse, saberia, como também lendo seus pensamentos saberia a verdade. Fazemos isto facilmente com desencarnados fracos e com os que sofrem. Com os moradores do Umbral, com os que são maus e fortes, é bem mais difícil. Para fazer isto com desencarnados trevosos tem que se treinar muito e saber usar bem esta habilidade.

O homem nos olhou bem, suspirou, enxugou algumas lágrimas e respondeu:

– Meu genro, ou melhor, meu ex-genro. Quando encarnado, fomos sogro e genro. Chamo-me Jacy. Estou há tempos preso aqui.

– Não sai para nada? – perguntou Elisa.

– Não, meu genro vem sempre aqui, ora me bate, ora me traz o que comer e água. Ele é violento e mau.

– Por que ele o prendeu? – indaguei.

– É uma longa história. Soltem-me e vamos para um lugar seguro que conto a vocês.

Elisa me olhou e me disse mentalmente:

"Vamos libertá-lo, se não pudermos socorrê-lo o deixaremos em uma outra área do Umbral. Por favor, Patrícia!" – rogou vendo que eu hesitava.

– Vamos soltá-lo – concordei.

Arrebentamos fácil a corrente. A perna dele estava inchada, ajudamo-lo a ficar de pé, ele gemeu de dor. Apoiando-se em nós, retornamos à trilha rumo à cidade dos encarnados. Logo chegamos, sentamo-nos na relva, num terreno vago e Jacy, como prometera, contou sua história.

– Encarnado, fui um homem rico, não milionário, mas tinha muitas posses. Tinha cinco filhos e uma das minhas filhas foi casada com este genro que me prendeu. Ele tratava muito mal minha menina, batia nela e tinha muitas amantes. Estava gastando tudo o que possuía. Querendo ficar livre de tal peste, mandei matá-lo. Paguei bem caro um assassino que o matou com um tiro. Ninguém descobriu nem ficaram sabendo que eu fora o mandante. Mas ele desencarnado ficou sabendo e esperou que eu desencarnasse para me maltratar. Eu já lhe pedi perdão, mas ele não me perdoa.

– Pediu de coração? – Elisa indagou.

– Sim. Logo que desencarnei, achava que se voltasse ao passado mandaria fazer novamente. Depois, com o tempo, lá sozinho e preso, fiquei a pensar e entendi que estava errado. Não tinha o direito de tirar a vida física de ninguém.

– De fato, Jacy, não temos o direito de cortar a existência num corpo de carne de ninguém. Agora você está livre. Convido-o para se voltar ao Bem, a pedir perdão a Deus e recomeçar uma nova vida fazendo o Bem a si mesmo e a outros irmãos. Aceita?

– Vamos levá-lo a um lugar onde será hospitalizado e sarará de todos seus machucados – falou Elisa delicadamente.

– Este lugar é bonito? – perguntou ele. – Ouvi dizer que onde os bons moram é fantástico.

– Sim – repliquei –, é maravilhoso para aqueles que querem mudar, mas desinteressante para quem cultiva os prazeres materiais. Você irá para um Posto de Socorro aqui perto.

– Obrigado – falou com sinceridade.

Nós o levamos para um Posto de Socorro da região localizado perto do Umbral. Tocamos a campainha. Postos de Socorro têm sempre vigias e postos de observação. Sabem quem se aproxima e pelas vibrações sabem também quem é. Os portões dos Postos normalmente são trancados. Poderiam, só pela vibração, ser abertos, não necessitando bater ou tocar a sineta que existe em algumas casas. Mas este bater é costume no Plano Espiritual. Parado no portão ou porta, o visitante é observado melhor. Em muitos Postos, quando o portão é aberto, defrontamo-nos com um hall ou sala onde são normalmente atendidos quem os visita. Em casos de emergência, quem está para chegar nestas casas de auxílio pede mentalmente e o portão é aberto quando se está perto. Como também, em alguns casos, os trabalhadores da casa vão encontrar-se com quem pede ajuda para auxiliar. Este bater é uma forma educada de visitar uma casa.

O portão foi aberto e fomos convidados a entrar. Explicamos para a senhora que nos atendeu o porquê de nossa presença, pedindo abrigo para Jacy. Fomos prontamente atendidas. No pátio, Jacy nos indagou:

– Vocês não iam me levar para um lugar lindo? Aqui é tão simples!

Entendi-o. Lugares bonitos diferem pelo gosto. Para muitos, lugares lindos são de luxo e ostentação. Para outros, os que se afinam com a simplicidade, a maior beleza é a vibração de harmonia emitida por seus sustentadores. Para Elisa e eu, o Posto é muito bonito, canteiros floridos enfeitam o pátio, árvores arredondadas de um verde muito agradável estavam entre os canteiros, bancos rústicos convidam as pessoas a se sentarem. O prédio, em formato de U, de três andares, é majestoso. Tem janelas grandes e em quase todas há flores no beiral.

– O quê?! – falou Elisa, espantada. – Não acha aqui bonito?

– Pensei que fosse diferente – respondeu Jacy.

Deixamos Jacy acomodado numa enfermaria e voltamos aos nossos afazeres. Dias depois, fomos visitá-lo e nos informaram que Jacy saiu sem licença e foi para sua ex-casa terrena. Agradecemos e partimos.

– Patrícia, vamos procurar Jacy?

– Elisa, ele fez sua escolha.

– Vamos ver o que ele está fazendo. Talvez esteja precisando de ajuda. E se o genro o pegou novamente?

– Está bem, vamos – respondi.

Foi fácil achá-lo. Quando ele nos contou sua história, deu todos os detalhes e até mostrou a casa onde morou. Nós o encontramos triste, a chorar na sala de sua ex-casa terrestre. Ali fora sua casa, mas não um lar. Lar é união de moradores por afeto. Lar, para nós desencarnados, são todos os lugares onde somos amados. Ao nos ver, chorou mais alto. Ele sofria realmente.

– Sou tão infeliz! Saí daquele lugar de luz e paz e vim para casa. Só encontrei erros e problemas.

– E por que saiu? – quis saber Elisa.

– Quis vê-los, tinha saudades.

– Deveria ter esperado. Quando pudesse, iria ter permissão para vê-los – falou minha amiga.

– E agora, o que faço? Tenho medo! Quero voltar e não sei. Será que vocês não me levariam de volta? Por favor, ajudem-me de novo! Sei que não mereço, sou um mandante de crime. Mas vocês são tão boazinhas!

– Podemos levá-lo – disse séria –, mas se prometer que será obediente, comportado e logo que possível passar de servido a servidor. E tem mais: ser agradecido.

– Prometo fazer isso tudo.

Levamo-lo de volta.

Como é triste cometer erros e ter a consciência a cobrar, quando não são os que prejudicamos a fazê-lo. Consciência tranqüila e sem erros é nossa tranqüilidade, porque a dor do remorso é terrível. Quem faz o mal é insensato.

Vendo-me pensativa, Elisa disse:

– Patrícia, é para alertar as pessoas que você estuda tanto e deseja ensinar?

– É, por isto e muitas outras coisas também. Porque, Elisa, aquele que sabe tem mais chance de acertar. Conhecer, é fazer com sabedoria. Somos livres de tudo o que sabemos e escravos do que não sabemos. Não compactuar com o erro, mas amar a presença de Deus no pecador. Esclarecendo, educando, enfraquecemos o erro e fortalecemos no Bem os que erram.

– Patrícia, admiro você!

Sorrimos. Viver tentando acertar é maravilhoso.

Túnel Negro

Na noite seguinte, fomos, Elisa e eu, encontrar com meu pai. Minha amiga foi logo lhe passando os dados do Túnel Negro. Informações que obteve no Posto de Socorro do Umbral das imediações do local onde Walter estava.

– Obtive os dados com o orientador do Posto de Socorro Caminheiros de Jesus – explicou Elisa.

Colônias ou Postos de Auxílio têm quase sempre a previsão exata de quantos desencarnados vagam pelo Umbral, quantos moradores existem nas suas cidades umbralinas. Isto no seu espaço Espiritual. É para facilitar socorros e orientar socorristas. Assim, tínhamos nas mãos um mapa do local, com as medidas de todos os compartimentos do Túnel Negro. Seu chefe era mesmo o Natan. Estava anotado quantos colaboradores ele tinha, quantos escravos e abrigados. Como também havia todos os detalhes importantes da fortaleza por dentro. Meu pai leu todos os dados e entregou a folha a Elisa. E nos convidou:

– Vamos!

Volitamos até o Umbral, depois fomos andando. Observamos tudo. Perto do Túnel Negro, paramos e examinamos bem o local. Ficamos ali poucos minutos e voltamos.

– Amanhã voltaremos – disse meu pai –, só que um pouco mais tarde e tiraremos de lá os que querem sair. Agora, vou ao Posto, junto ao Centro Espírita para organizar tudo.

Estávamos caminhando, Elisa e eu mais próximas, e meu pai a uns dois metros de distância, quando ouvimos:

– Café com leite! Uma branca, outra negra! Leite com café!

O desencarnado que falou riu alto, gostando do que dizia. Elisa o observou e dirigiu-se ao meu pai.

– Sr. José Carlos, por que tanto preconceito? Ontem mesmo, por aqui, nos chamaram de branquela e negrinha.

– Muitos ainda dão valor ao exterior de tudo, até das pessoas. Preconceito racial tem sido a causa de muitas desavenças terrenas. Longe estão de entender o que a pessoa é realmente. E vendo o exterior critica-se tentando ofender. Este indivíduo tanto quis ofender uma como a outra. Tivemos e teremos com certeza muitas existências, pertencendo a muitas raças. A cor da pele muda conforme nossa necessidade de aprendizado ou por reencarnarmos em determinado local da nossa Terra. Podemos ter sido vermelhos, amarelos, negros e brancos, ou poderemos ser. Aqui no Umbral também há preconceitos e muitos. Existirão preconceitos até que entendam que é temporário a pessoa vestir um corpo branco ou amarelo. Nosso espírito é e será o mesmo. Devemos tirar lições dos diferentes modos de ser externamente para nosso aprendizado e para nosso progresso.

Meu pai fez uma pequena pausa e concluiu:

– Muitos têm medo de olhar para dentro de si mesmos, pois ali só irão encontrar inferioridade e o grande vazio do nada. Pois, sem a comunhão com a vida, quase sempre o preconceito racial vem à tona. Por isso, não gostam de olhar aqueles que julgam ser melhores que eles, pois, ao vê-los, vêm sua própria pobreza. Eis a razão da maledicência. Ao denegrir a imagem do próximo, sentem-se melhores que os alvos de suas críticas. Ainda não conseguem ver, sentir todos como irmãos.

– Eu, se quisesse – disse Elisa –, poderia, agora que revisto um corpo perispiritual, ser diferente. Modificá-lo e ser branca ou com feições orientais. Mas a cor não me faz diferença. Amo todas as raças. Sou agora como fui na minha última encarnação.

– Para os que compreendem, o externo não faz diferença – disse rindo meu pai. – Uma de minhas encarnações que recordo com carinho foi na Índia em que fui bem escuro, quase negro.

Pensei, já recordei muitas das minhas existências. Também já vesti um corpo físico negro que não me fez diferença. Tive nessa encarnação alegrias, tristezas, problemas comuns de encarnada como em todas as outras encarnações. Amei ser negra! Meu pai tem razão, tudo é temporário, tudo passa. Nós ficamos com o proveito que temos em cada encarnação.

Despedimo-nos. Cada um voltou aos seus afazeres. Eu voltei à Colônia Vida Nova. Elisa, ao hospital da Colônia Perseverança e meu pai, ao Posto do Centro Espírita. No outro dia, nos encontramos. Um grupo de vinte desencarnados, trabalhadores da equipe do Centro Espírita, acompanhava meu pai. Conhecia quase todos. Cumprimentamo-nos alegres. Rumamos para o Túnel Negro. Sabíamos que Natan estava sempre ausente à noite, ia com freqüência para perto dos viciados encarnados. Dizia que pesquisava drogas nos corpos de carne. Saía com seus colaboradores diretos.

Logo chegamos. Íamos entrar meu pai, eu, Elisa e cinco da equipe, o resto nos esperaria perto. O Túnel Negro por fora parecia mais com um castelo, destes antigos europeus, de cor cinza e com algumas janelas pequenas. Natan não confinava seus moradores. Ali eles entravam e saíam quando queriam. Havia prisões, mas só para os que o desobedeciam. Mesmo os que ali estavam, os que eram usados para experiências, entravam conscientes do que ia acontecer. Muitos viciados procuravam o Túnel Negro em busca de drogas para uso próprio. É claro que para conseguir o que desejavam tinham que se submeter às regras da casa.

A entrada do hospital, assim eles gostavam de chamar o lugar, era vigiada. Natan não admitia falhas e seus ajudantes o temiam. Os drogados desencarnados e também os encarnados desprendidos pelo sono físico entravam fácil. Muitos encarnados transitam pelo Umbral, trabalhadores do Bem para ajudar, outros afins procuram seus objetos de prazer. Encarnados viciados são bem-vindos em muitos lugares parecidos com o Túnel Negro. Isto porque lá recebem incentivos para continuar no vício e também orientação para viciar outros. São instruídos para continuar no erro e fazer o que eles querem. Pensam, estes encarnados, que eles são amigos e acabam como fantoches nas mãos deles. Os drogados vêm sempre ao Túnel Negro em busca das sensações que o tóxico lhes proporciona. Natan, por aquela área do Umbral, tinha fama de alimentá-los com objetos de seus desejos.

Ficamos rentes à parede externa perto da porta da frente. Os guardas estavam no momento do outro lado. Meu pai, representando um viciado, entrou na saleta como se procurasse drogas. Veio atendê-lo uma enfermeira, ou atendente, uma desencarnada que anotava tudo o que se passava por ali. Acostumada a atender encarnados, atendeu-o normalmente sem desconfiar de nada.

– Quero falar com Dr. Natan – disse meu pai.

– Ele não está no momento – respondeu a mulher.

– Chame-o para mim – insistiu papai.

– Não posso importuná-lo e não sei onde ele está. Você vai ter de aguardar.

– Vá chamá-lo, moça – falou meu pai –, trouxe um material que há tempo ele procura.

A mulher virou-se e entrou por uma porta indo a outra sala. Rapidamente papai nos deu sinal para entrar. Passamos da sala para um corredor e por muitas outras salas ou cômodos. Ali não havia enfeites como costumamos ver nas cidades umbralinas. Havia muitos corredores. Para iluminar a casa por dentro, havia archotes nas paredes. Como também alguns quadros com desenhos alucinantes que tiravam a monotonia do cinza de suas paredes. Vi poucas cadeiras, ali parecia só ter o essencial. Como comentamos após, a casa tinha área de lazer, acomodações particulares aos seus moradores, eram cômodos parecidos uns com os outros. As prisões eram celas pequenas e individuais.

Até que entramos numa grande sala, nos separamos, meu pai entrou no laboratório, olhou tudo sem mexer em nada. O laboratório era bem equipado, demonstrando que Natan e sua equipe eram estudiosos. Estas salas em que entramos eram chamadas de enfermarias. Sabíamos que numa destas salas estava Walter. Estas enfermarias nada lembravam as da Colônia de Socorro, ou mesmo as que existem em hospitais terrenos. Estavam perto do laboratório. Tomados de assalto, os guardas que estavam dentro da casa não reagiram, foram imobilizados pela força mental de nossos amigos.

Quando entramos na enfermaria, a visão que tivemos foi tanto patética como horripilante. Não havia leitos, só espécies de cabides nas paredes e vários desencarnados dependurados como roupas velhas. Elisa e eu ficamos abobalhadas diante de tão triste visão. Minha amiga sufocou um grito quando viu Walter no cabide; correu para ele. Tirou-o de lá e ele caiu nos seus braços. Meu pai veio até nós e em fração de segundos foi tirando todos e colocando-os diante da porta para que nós duas os encaminhássemos para a saída. Não conseguimos movê-los. Apavorada, indaguei a meu pai:

– Que faço?

– Empurre-os!

No corredor havia carrinhos, talvez para transportá-los. Colocamos todos dentro, pois não conseguiam andar, e os levamos para fora. Quando passamos pela saleta da entrada, um alarme tocou forte e estridente, parecendo uma buzina alta. A fortaleza foi vasculhada por nós, todos que quiseram sair foram tirados de lá. Fizemos um cordão dando as mãos e fomos empurrando até o vale perto do Túnel Negro, onde os outros da equipe nos esperavam. Alguns dos desencarnados que estavam presos foram amparados. O castigo era ficar sem o hipnotismo, achando-se privados da droga, estavam desesperados. Tínhamos pressa, os guardas imobilizados logo voltariam ao normal. Eles poderiam vir atrás de nós ou chamar por Natan, não queríamos um confronto agora com o chefe. Queríamos socorrer todos os que queriam ajuda. Os socorridos estavam assustados, alguns não sabiam direito o que estava acontecendo, olhavam-nos com medo. Meu genitor falou para eles:

– Aqui estamos em nome de Jesus para ajudar os que querem. Levaremos vocês a um local de socorro, onde serão tratados com bondade e curados de seus males. Os viciados receberão tratamento especial e ajuda para se livrarem do vício. Estamos convidando todos a nos acompanhar. Tiramos vocês de lá, mas levaremos só os que querem ir. Vamos prosseguir, os que não querem ir conosco podem voltar. Levaremos os que não estão em condições de decidir.

Muitos voltaram, até alguns que estavam presos. Trinta desencarnados ficaram conosco e fomos para o Posto do Centro Espírita. Já nos esperava a equipe médica com os enfermeiros, e nos pusemos a trabalhar. Seriam feitos os primeiros socorros em muitos deles. Walter e seus companheiros, que estavam dependurados, estavam inconscientes. Estavam completamente dependentes das sensações das drogas administradas neles pelo hipnotismo de Natan.

Desencarnados viciados iam ao Túnel Negro em busca das drogas, mas Natan hipnotizava-os, fazendo-os sentir como se tivessem desfrutando do objeto do seu desejo, seja maconha, cocaína, heroína, etc. Hipnotizados, estes imprudentes desencarnados serviam de experiência a este médico que lhes sugava os fluidos vitais para si e seus companheiros. Os viciados pensavam que tomavam as drogas como também todos os que vagavam por ali. Julgavam que lá havia tóxicos. Natan não tinha nenhuma droga no Túnel Negro. E suas experiências eram cruéis.

Desencarnados alucinam, degeneram muito mais com tóxicos que os encarnados. Deformam seus perispíritos, é muito triste vê-los. Todos estavam muito magros, pálidos, sem energias psíquicas, abobalhados e com o pensamento fixo nas drogas. Walter era louro, cabelos curtos, olhos fundos e vidrados, lábios roxos. Elisa o reconheceu mais por senti-lo do que visualmente. Isso acontece muito no Plano Espiritual, uma pessoa sabe, sente quem é outra que reconhece, já que o perispírito muda muito.

Todos os inconscientes e os semi-inconscientes foram medicados e colocados nos leitos. Os outros também tiveram os primeiros cuidados. Alguns dos colaboradores que serviam a Natan ali estavam desconfiados. Eles não eram viciados. Trocaram de roupa e ficaram conversando com os trabalhadores desencarnados do Centro Espírita, que gentilmente os elucidaram nas suas dúvidas.

Meu pai trabalhou ajudando por duas horas e após voltou ao corpo físico. Muitos dos socorridos que não necessitavam passar por uma incorporação foram levados do Posto. Os viciados conscientes foram encaminhados para hospitais no Plano Espiritual próprio para eles. Alguns foram para suas Colônias de origem. Os servidores de Natan que pediram ajuda foram levados para a Colônia na Escola de Regeneração para adaptarem-se à nova vida que lhes fora oferecida. Ficaram no Posto do Centro Espírita só os que precisavam passar por uma incorporação. Estes, pela incorporação, teriam a consciência retomada e pela transfusão psíquica poderiam escolher se queriam ou não a ajuda oferecida. Muitos destes desencarnados estavam com os perispíritos deformados pelo vício, por castigos e pelas experiências.

Os socorridos foram levados rápido para as Colônias por dois motivos: para começar imediatamente o tratamento que necessitavam e iniciar o aprendizado que os libertaria daquela subjugação. Também, porque sabíamos que, se Natan os chamasse, acostumados a obedecê-lo, voltariam ao Túnel Negro. Nas Colônias, esta volta é muito difícil por estarem mais longe da Crosta e fora do alcance das mentes trevosas. Os que precisavam ficar no Posto foram acomodados em quartos isolados; aqueles que ainda não tinham consciência de sua situação ficaram em leitos, amarrados, não podendo sair.

Agora, teríamos que esperar o dia certo em que encarnados e desencarnados se reuniriam para o trabalho de equipe, onde os nossos socorridos seriam orientados por uma incorporação junto aos médiuns da casa.

Elisa ficou no Posto, cuidando de Walter e de todos que ali estavam, ajudando os trabalhadores desencarnados da casa. Voltei aos meus afazeres nas salas de aula do curso que ajudava a administrar, esperando, ansiosa, o desenrolar dos acontecimentos.

Na Sala de Aula

Enquanto esperava a doutrinação de Walter, dediquei-me ainda mais tempo ao meu trabalho. Estava me dando bem como instrutora do Curso de Reconhecimento do Plano Espiritual. Estava gostando muito de lecionar. Numa das aulas, Norio, o japonês, me fez algumas perguntas que não estavam no currículo. Percebi com satisfação que estava apta a responder, isto me tranqüilizou.

No Plano Espiritual, principalmente onde se pratica o Bem, vamos perdendo o costume de reparar na aparência física dos outros. Na classe onde trabalhava havia idosos, negros, brancos e, como temos muitos orientais nas terras brasileiras, é claro que os temos no Plano Espiritual. Norio é uma pessoa muito agradável, risonho, com inteligentes olhos puxados. Ele já era chamado assim encarnado, "Norio, o japonês", e continuou sendo depois de desencarnado, orgulhando-se muito do tratamento carinhoso.

– Patrícia – replicou Norio –, admiro muito Allan Kardec, como também sou fã da equipe que o ajudou a escrever os livros que nos legou. Onde eles estão? No momento estão encarnados ou desencarnados?

– Norio, poucos sabem sobre isso no Plano Espiritual. Eu não sei. Só sabem os desencarnados mais estudiosos e que têm como trabalho a orientação da Terra. Nós, a maioria, não sabemos deles e nem o paradeiro de espíritos considerados santos ou que foram importantes, de alguma forma, encarnados. Isto por precaução, porque, se todos os desencarnados souberem, logo os encarnados saberão. E, como há muitos imprudentes, se falarmos que estão encarnados, rapidamente centenas de Allans Kardec irão surgir, como também cada um de sua valiosa equipe. Se dissermos que estão desencarnados, poderão acontecer muitas supostas manifestações por via mediúnica em lugares que não têm a devida cautela com mensagens assinadas por pessoas famosas. Assim sendo, só posso responder que eles continuam firmes nos seus propósitos, rumo ao progresso, preocupados com todos os espíritos que fazem sua evolução e em ajudar com bondade a todos. Se encarnados, nem pensam no que foram no passado, porque isto não preocupa os espíritos bons. Desencarnados muitas vezes se escondem em pseudônimos, porque reconhecem que não fizeram mais do que lhes competia fazer.[1]

– Patrícia, estou aprendendo a volitar, mas ainda não aprendi a fazê-lo rápido, será que aprenderei? – perguntou Norio novamente.

– Certamente – respondi. – Aprendemos primeiro a volitar devagar para depois fazê-lo rápido. A última forma que aprendemos é a fazê-lo com a rapidez do pensamento. O curso de volitação nas Colônias é aberto a todos e aprende quem o deseja.

– Muitos encarnados se desprendem de seus corpos e volitam. É porque já sabiam? São danadinhos – disse Norio.

– Aquele que sabe faz! Se desencarnados sabiam, ao encarnar recordam-se facilmente e quando desprendidos do corpo carnal, seja consciente ou pelo sono físico, o fazem. Mas encarnados também podem aprender se alguém os ensinar.

– Patrícia, quem tem medo de altura, como faz para volitar? – indagou Norio todo sério.

Rimos.

– Se desencarnado – elucidei-o –, deve procurar o porquê do medo e superá-lo. Quando encarnados, usam-se alguns truques. No corpo carnal o medo de altura é mais forte, porque sabe que se cair irá no mínimo se machucar. Desencarnado não corre este

[1] N.A.E. – Esta resposta aqui registrada a dei sob orientação da equipe da Colônia Casa do Escritor.

risco. Minha mãe está encarnada, é acrófoba e volita. Costuma ir a muitos lugares. No começo, volitava com cautela e não olhava para baixo, agora o faz mais facilmente, certamente um dia irá superar este trauma que tem por um acontecimento de outra existência.

– Patrícia –falou Ernani –, tenho uma prima que é espírita e a sua filha mais velha, Lilian, desencarnou. Ela está bem e é feliz aqui no Plano Espiritual. Mas seus pais querem ter outro filho e que Lilian volte a reencarnar. Ontem nos encontramos e ela está num dilema, reencarnar ou não.

– Se os pais querem ter outro filho, tudo bem, mas não devem proceder como estes seus primos que querem o retorno da filha. Existe esta possibilidade, em alguns casos; desencarnados podem reencarnar em curto espaço de tempo entre familiares e às vezes com os mesmos pais. Mas cada caso deve ser estudado com atenção. Os encarnados não devem fazer deste desejo algo que incomode o desencarnado. Não devem ser egoístas. E o desencarnado, não tendo planos de reencarnar logo, não deve fazê-lo só porque os pais querem. Aconselhe Lilian a conversar com um orientador e pedir ajuda para resolver este problema. E, se ela se achar sem condições de retornar à carne, não deve fazê-lo agora.

O assunto da aula passou a ser obsessão.

Geralda nos contou que teve uma existência encarnada muito difícil. Órfã, casou-se jovem e sofreu muito com o marido que bebia. Querendo se ver livre do esposo, planejou e o assassinou e ninguém ficou sabendo. Trabalhou muito e criou seus cinco filhos. Mas o esposo, querendo vingar-se, obsediou-a por anos, até que os filhos moços procuraram o Espiritismo que a ajudou. Falou emocionada do muito que sofreu mas, pela obsessão, conheceu o Espiritismo que veio elucidá-la e auxiliá-la bastante.

Marcílio teve uma experiência diferente, desencarnou por um acidente de trabalho, descobrindo então que a esposa o traía com seu sobrinho. Com raiva, passou a obsediá-la e não deixou ninguém se aproximar dela com intenção amorosa. Com a vida conturbada, a esposa foi a um lugar onde pagou para ficar livre da influência negativa, no caso, ele. Desencarnados que lá trabalhavam o pegaram e o levaram preso para um lugar do Umbral. Marcílio ficou tempos prisioneiro e fez amizade com um outro desencarnado que também estava preso. Este amigo contou-lhe porque estava preso. Desencarnou deixando a esposa com seis filhos, preocupado com eles, voltou a sua antiga casa terrena sem saber que os prejudicava. A esposa, sem entender bem, procurou ajuda erradamente e ele foi preso. Devemos procurar auxílio só em lugares bons que fazem caridade, principalmente quando se trata de entes queridos desencarnados. Socorristas ajudaram este seu amigo e o levaram para um socorro. Tempos depois, ele voltou e o socorreu. Marcílio disse-nos que foi uma experiência muito triste não ter perdoado e ficar obsediando. Esqueceu de si para infernizar a esposa e sofreu muito.

Concluímos que é muito triste tanto obsediar como ser obsediado. Aquele que obsedia perde tempo precioso, pára no seu caminho para tentar prejudicar o outro. Devemos viver de tal modo que não mereçamos raiva e ódio de ninguém. Mas, se pelo passado alguém nos cobrar, devemos ajudá-lo e não aceitar sofrer pelo que fizemos. Porque se permitirmos que outro nos faça mal é o mesmo que continuar prejudicando-o. Deve o obsediado orar, ter uma vida decente e procurar em um Centro Espírita o auxílio para si e para o outro. Todos devem ser tratados como irmãos e como gostariam que fossem tratados. O obsessor e o obsediado merecem o mesmo respeito.

Muitos foram os comentários sobre a obsessão. Albertina nos narrou:

– Tenho um tio que é uma pessoa muito difícil. Vive irritado, enfermo, e nas suas crises atormenta toda a família. Muitos diziam que estava obsediado. Até a família, embora descrente, foi em busca de auxílio. Mas nada, ele melhorava pouco e logo voltava ao seu mau humor. Logo que desencarnei, pensei também que meu tio era obsediado. Mas, para minha surpresa, ao visitá-lo não vi nenhum desencarnado com ele. Querendo aprender, indaguei ao meu orientador que, para elucidar-me, foi comigo vê-lo.

"Albertina" – disse meu orientador –, "este senhor não é obsediado. Ele não se educou, é uma pessoa nervosa e conseqüentemente doente. Quem não aprende a controlar-se, quase sempre se torna enfermo. É pessimista, egoísta, gerando assim muitos fluidos negativos que o tornam mais irritado ainda. Ele é uma pessoa difícil que nada faz para se melhorar. Nem tudo o que acontece aos encarnados é culpa dos desencarnados. E nem sempre situações difíceis são por obsessões. Estas existem, mas deve ser analisado se não é o encarnado que sofre por suas próprias ações, por sua maneira errada de ser e agir. Como também se não é físico o que ele sente, ou, como seu tio, que é pessoa difícil."

Realmente, concluímos que muitos encarnados colocam a culpa nos outros, porque é mais fácil que reconhecer seus próprios erros.

– Patrícia – perguntou Marília –, um encarnado pode obsediar um desencarnado?

– Pode. Se o encarnado chamar o desencarnado chorando, desesperado por ele, não se conformando com sua desencarnação, pode atrapalhá-lo. Se este desencarnado estiver abrigado em Colônias, sentirá estes chamamentos que o incomodarão. Se ele estiver vagando, quase sempre vem e fica perto deste encarnado numa troca doentia de fluidos. Os encarnados devem ajudar os desencarnados que amam. Devem ser otimistas, orar por eles, desejando que estejam bem e felizes, e que aceitem a desencarnação. O amor deve sempre nos levar a querer o melhor para o ser amado.

– Bendito seja o Amor! – exclamou Terezinha, rindo.

Finalizamos a aula.

Desencarnações

Nosso grupo de estudo foi com os outros dois instrutores ver, na prática, e tentar ajudar algumas desencarnações. Já havíamos estudado, na teoria, as muitas formas de deixar o corpo físico. Agora íamos ver para aprender os desligamentos de algumas pessoas.

Avisados de que estava havendo um tiroteio entre grupos rivais, fomos imediatamente para lá. Chegamos e ainda trocavam tiros, algumas pessoas corriam com medo. Os assassinos fugiram, deixaram caídos dois feridos, um na perna, outro no abdome, mão e perna. E três mortos.

Rápidos, também, vieram ajudar quatro socorristas que trabalhavam na região, e um bando de desencarnados trevosos. Estes chegaram tocando tambores, fazendo barulho.

– Por que esta algazarra? – indagou Terezinha.

Alberto, um outro instrutor, responde a todos, esclarecendo.

– Grupos assim, de desencarnados que vagam, estão sempre à cata de novidades e confusões. Deliciam-se com brigas, chegam até a apostar e torcer por um desfecho macabro. Temos visto alguns batucando, andando por aí. Certamente estes têm esta preferência. Como outros grupos têm por outras. São muitos os que gostam de algazarra.

Alguns do bando trevoso nos viram, outros nos sentiram. Pararam perto e esperaram, sem parar com a batucada. Alguns gritaram dirigindo-se a nós.

– Ei, vocês de Cristo, andem logo!

– Peguem os que são de vocês e se mandem!

– Queremos os nossos!

Voltamos nossa atenção e cuidados para os feridos. O que tinha levado três tiros estava muito mal e perdia muito sangue. O dono do bar onde aconteceu o tiroteio chamou a polícia e a ambulância. O socorro para os feridos veio rápido e os dois foram levados ao hospital. Cleusa, que foi médica encarnada, acompanhou-os fazendo tudo ao seu alcance para ajudá-los.

Os três tiveram os corpos físicos mortos, estavam confusos e sofrendo.

– Este – disse um dos socorristas – é bom moço, trabalhador, correto, atiraram nele só porque conversava com este outro, seu primo que era traficante.

Observamos melhor os três, eram todos jovens, adolescentes. O apontado pelo socorrista, via-se pela sua aura, era boa pessoa. O que vimos nos outros dois não foi nada agradável. A aura deles estava suja, pastosa e tinha tonalidade escura.

– Este – disse o outro socorrista, esclarecendo nossa turma – já assassinou três pessoas, é traficante e sádico. Tem dezessete anos. O outro é um viciado em drogas e ladrão de carros.

Estes dois debatiam-se em perispírito, já que os corpos mortos estavam inertes. Rodeamos os garotos e oramos. Depois aproximamo-nos do menino bom. Um dos socorristas lhe falou bondosamente:

– Jairo, você está ferido, vamos ajudá-lo. Calma! Fique tranqüilo!

O garoto acalmou-se e o processo de desligamento foi rápido. Alberto esclareceu ao grupo:

– Logo a polícia estará aqui e levará os cadáveres. Precisamos desligar Jairo depressa para levá-lo daqui, evitando assim cenas desagradáveis a este jovem.

Jairo, em perispírito, adormeceu tranqüilo e logo os socorristas experientes o desligaram e levaram para um Posto de Auxílio ali perto. Seu cadáver ficou com muitos ferimentos, mas seu rosto demonstrava tranqüilidade. O socorrista que ficou dispersou os fluidos vitais de seus restos mortais para evitar que fossem sugados.[1]

Quando o socorrista acabou, afastamo-nos alguns metros, nada mais tínhamos a fazer, agora era a vez do outro grupo. Ficamos observando em silêncio, a cena trágica nos chocou.

O grupo aproximou-se dos outros dois. E vimos um deles, um desencarnado especialista em desligamento, ficar bem próximos dos jovens mortos. Ele falou rindo, talvez imitando com deboche os socorristas.

– Calma aí, Negrão! Fique tranqüilo, Tonho! Tiro vocês daí! Estão mortinhos! Ou melhor, mortões!

Alguns pararam a batucada para olhar melhor, outros continuaram. Rápido, este desencarnado, demonstrando que sabia fazer e bem feito, desligou os dois sem qualquer delicadeza. Os dois foram jogados no meio do bando que os segurou rindo e fazendo piadas. Estavam abobalhados, assustados e com medo. O grupo avançou sobre os restos mortais dos dois, já que o socorrista guardava o do que fora socorrido. Como feras vampirizaram os fluidos vitais, lamberam o sangue que escorria pelo chão.

Alguns encarnados rodearam o local, olhando curiosos. Foi quando uma senhora se aproximou chorando, era a mãe de Jairo. Nós a rodeamos, tentando confortá-la.

– Jairo estará melhor agora! – disse Albertina.

Uma mulher que acompanhava a mãe de Jairo pressentia a expressão forte e comovida de Albertina, falou abraçando a amiga.

---

[1] N.A.E. – É uma cena deprimente ver seres humanos vampirizando e outro ser vampirizado. Socorro na desencarnação depende só do merecimento. Espíritos que vagam necessitam muito de fluidos e, como não conseguem absorvê-los naturalmente, os roubam, vampirizando dos recém-desencarnados e encarnados. Quando isto acontece, o desencarnado sente esvair suas forças, energias psíquicas. As energias físicas voltam à natureza, são sugadas as energias psíquicas ou mentais. Assim, quando os socorristas fazem isto, eles retêm para o corpo perispiritual as que o recém-desencarnado necessita e fazem retornar mais rápido as que são da natureza.

– Neuzinha, não se desespere, Jairo estará melhor agora longe desta vida ruim!

– Estará! Falou a mãe comovida. Ele era tão bom que só pode estar bem.

Veio outra senhora chorando desesperada. Era a mãe de um outro.

– Meu filho, avisei tanto que não era para se meter com estes bandidos.

Afagamo-las confortando. Sofriam muitíssimo.

Os desencarnados do bando continuaram até que se saciaram, depois se afastaram alguns metros, ficando observando, talvez porque também estávamos. Lourival, da nossa turma, querendo aprender, indagou ao socorrista que estava ali olhando tudo tranqüilo:

– O senhor não se entristece com estas cenas?

– Certamente, mas faz dez anos que trabalho no Posto de Serviço aqui perto e infelizmente estas cenas são comuns por aqui.

– E os outros dois – quis saber Marília –, o que acontecerá com eles?

– Não foi possível socorrê-los porque insensatamente se afinam com o outro grupo. Pelo que tenho visto, logo estarão a farrear com o bando ou planejando se vingar dos seus assassinos.

– E o Jairo? – perguntou Lourival. – Aceitará o socorro oferecido?

– Acredito que sim – replicou o socorrista pacientemente. – Jairo é um bom garoto, afina-se com o Bem, irá gostar do nosso Posto. Mas ele é livre, poderá sair se quiser.

A polícia chegou e começou o trabalho dela. O bando ria, ora xingava os policiais, ora os bandidos. Mas não se aproximaram. Quando os cadáveres foram levados embora, o socorrista despediu-se de nós. O bando também se afastou fazendo muito barulho, levando os dois amparados que estavam quase inconscientes não entendendo o que acontecia.

Afastamo-nos silenciosos, vimos a desencarnação de três jovens, de modo violento e doloroso.

Deixo claro que nem todos os que são assassinos têm a mesma maneira de desencarnar. Às vezes, quando há um tiroteio com desencarnação, o bando trevoso não comparece, nem os socorristas. Tenho visto alguns terem uma morte violenta e o desligamento ser compulsório, rápido e o desencarnado ficar perto do corpo morto sem entender o que ocorreu. E, em outros, o desligamento acontecer tempo depois. O socorro depende muito do merecimento, como no caso de Jairo, ou de muitos fatores, como o desencarnado pedir ajuda, ou alguém ligado a ele, seja encarnado ou desencarnado. Claro que, depois dos primeiros socorros, ele ficará abrigado, se quiser.

Fomos ver outro desligamento. Dirigimo-nos a um cemitério e lá fomos a um velório, à sala sete, onde éramos esperados. Fomos assistir ao desligamento de uma mulher; seu corpo físico completava cinco horas de paralisação de suas funções vitais. Estava num caixão lacrado, sua desencarnação fora em decorrência da AIDS. Dois socorristas esperavam para começar o processo de desligamento. Logo após nos termos acomodado, eles se puseram a trabalhar. Havia poucos encarnados no velório e o enterro ia ser logo.

– Esta mulher – explicou um dos socorristas – teve uma vida degenerada. Mas, ao descobrir que estava doente, foi em busca de cura num Centro Espírita. Não teve a cura do corpo, mas a doutrina muito fez por ela. Passou a ler bons livros Espíritas, a ir ao Centro Espírita em dias de palestras e mudou sua vida, modificou-se interiormente para melhor. Aceitou a doença, nos últimos tempos orava muito para ter um socorro quando desencarnasse. Por isto, aqui estamos. Ela dorme e não está sentindo nada. Antes de ter seu corpo morto, lhe deram um medicamento para dormir, desencarnou adormecida.

Alguns dos alunos, já esclarecidos, foram ajudá-los e em quarenta e cinco minutos estava desligada. Dormia tranqüila.

– Pronto – disse o socorrista –, agora vamos levá-la para um hospital no Plano Espiritual onde se recuperará.

Ao lado desta sala do velório, estavam fazendo muito barulho. Muitos encarnados choravam desesperados. Aproveitando a oportunidade de aprender, fomos lá ver o que ocorria.

De fato, vários encarnados ali presentes choravam sofrendo muito. Estavam velando o corpo de um adolescente. Um dos socorristas nos acompanhou. Ele trabalhava com muitos outros naquele cemitério. Elucidou-nos:

– Este garoto ia fazer dezesseis anos. Suicidou-se dando um tiro no ouvido. Foi levado ferido para o hospital onde ficou seis dias em coma, acabando por desencarnar.

Ouvimos muitos comentários de encarnados.

– Dizem que foi por causa da namorada.

– Falam que se matou por ser *gay*.

E foram muitas as fofocas maldosas. Não se deve fazer comentários negativos de ninguém num velório, e devemos nos comportar como gostaríamos que procedessem no nosso.

Mas o que nos levou a ficar e observar foi que o garoto já estava desligado, só que perturbado, aflito e agoniado. Estava em perispírito perto do corpo morto, não se afastava. Gritava desesperado, querendo tê-lo de volta, ou revivê-lo para continuar sua vivência encarnada.

– Que imprudência! – exclamou Genoveva emocionada. – Quis morrer e ao fazê-lo quer o corpo de volta.

– Certamente – esclareceu Alberto –, o garoto não pensou nas conseqüências do seu ato. Vendo seus pais e irmãos sofrerem tanto por ele, desesperou-se. Como também, vendo o corpo morto e ele vivo, tem medo da nova vida que a desencarnação o levará a ter.

Perto dele, tentando acalmá-lo e ajudá-lo, estava um senhor desencarnado, seu avô. Porém, o garoto não queria afastar-se dali e não aceitava ajuda. Os encarnados choravam e ele chorava também. Nisto, um tio do menino entrou no velório. Era um senhor Espírita, com modos educados, mas firme, recomendou aos pais e familiares:

– Por favor, sei que a dor é grande neste momento, mas vamos orar todos juntos. Vamos dar nossa ajuda a ele que tanto amamos. Vamos perdoá-lo por seu ato insensato, não nos cabe julgá-lo, sim auxiliá-lo. Vamos rogar ao nosso Pai-Maior a ajuda que precisa. Que ele possa ser socorrido pelos bons espíritos.

Quietaram todos, o senhor fez uma oração muito bonita e foi acompanhado por muitos encarnados e por nós, desencarnados. O garoto parou de chorar, tentou orar, mas não conseguiu acompanhar as palavras do tio. Muitos fluidos vieram em sua direção e por momentos ele se equilibrou. Após a oração, ele escutou claramente as palavras do tio que lhe falou mentalmente:

"Calma! Não se desespere! Nada acabou com a morte do seu corpo. Somos eternos! Peça perdão! Aceite o socorro! Durma! Calma!"

Ele aceitou o abraço do avô desencarnado. Refugiou-se nos seus braços e dormiu. Só que seu sono foi agitado. Seu avô o levou para o abrigo, um pequeno Pronto-Socorro Espiritual daquele cemitério. O socorrista nos disse, elucidando:

– Ele ficará no nosso abrigo até acordar. E, quando o fizer, seu avô e um orientador falarão com ele, caberá a ele escolher se quer ou não socorro. Se quiser, deverá ser levado a um hospital no Plano Espiritual próprio para suicidas. Se não quiser, sofrerá muito mais. Mesmo num hospital demorará a se recuperar. Lesou o seu corpo perfeito. Logo será seu enterro e, como vimos, este senhor Espírita foi de grande ajuda. Como as pessoas boas e com compreensão ajudam nos velórios.

Fiquei impressionada com a expressão de terror e desespero do garoto. Sei que é bem triste, muito sofrimento para os familiares de pessoas que se suicidam. Mas não devem se desesperar nem blasfemar e sim tentar ajudar um ao outro e todos se esforçarem para auxiliar o suicida. Ver nele um imprudente que fez muito mal a si mesmo. Ele necessita do perdão de todos e de muitas orações. Que nas orações vá também junto o incentivo para que ele peça perdão, que rogue socorro e que aceite a ajuda que lhe é oferecida, como também desejar-lhe Paz e que seja feliz. Isto vindo dos entes queridos os auxilia muito. Os familiares dos suicidas não devem pensar que eles são infelizes e que sofrerão pela eternidade. Nada na espiritualidade é taxativo e cada caso é visto com carinho. É errado se matar ou tirar a vida física de quem quer que seja. As conseqüências do erro são de quem o cometeu, mas somos sempre perdoados quando pedimos perdão com sinceridade. O carinho dos que nos amam é conforto que facilita muito. E, quem pensa em se suicidar, que não o faça. Por pior que seja a dificuldade do momento, lembre-se, tudo passa, o tempo passa trazendo as soluções. Continuamos a existência após a morte do corpo. E para o suicida esta continuação não é agradável, e ele acaba sofrendo muito.

O socorrista nos acompanhou para uma visita ao cemitério.

– Veja – disse Josefino –, dois desencarnados trevosos guardando este túmulo.

– Aqui está enterrada há nove dias uma senhora – esclareceu o socorrista. – Como ainda está ligada ao corpo, desencarnados fazem rodízio para vigiá-la. São muitos os que querem vingar-se dela.

– Eles não poderiam desligá-la? – indagou Marília. – Pelo que vimos, muitos desencarnados maus sabem fazer isto.

– Claro que poderiam – respondeu o socorrista. – Vocês já viram como é triste o sofrimento de uma pessoa que fica desencarnada junto ao corpo por dias? Sente a decomposição, os vermes comê-la. É por este sofrimento que eles não a desligam. Só vigiam para que ninguém o faça ou ela por si mesma saia e eles a percam de vista. Certamente, quando eles acharem que ela já está parando de sofrer no corpo em decomposição, a levarão para o Umbral.

– Ela deve ter sido muito má para ter despertado tanto ódio assim – comentou Hugo –, tenho pena dela. Será que vocês socorristas não poderiam desligá-la? Socorrê-la?

Alberto, querendo que todos entendessem bem o que acontecia, nos convidou:

– Vamos nos aproximar para estudar e entender melhor este fato.

Os dois desencarnados que vigiavam não arredavam o pé do lugar, embora se inquietassem com nossa presença. Um deles, depois de gaguejar, esforçou-se para falar.

– Esta não é de vocês! E, depois, não estamos fazendo nada.

– Sei – respondeu o socorrista –, viemos só para estudar.

Vimos a senhora, o corpo se decompunha e ela em perispírito estava desesperada, revoltada e indignada. Blasfemava contra Deus achando injusto seu sofrimento.

– É por isto, Hugo, que os socorristas não podem ajudá-la. Vamos orar por ela – esclareceu Alberto.

Todos do grupo recolheram-se em orações. Fluidos nossos foram até ela, porém não a atingiram devido ao seu bloqueio negativo. Fluidos bons ou ruins não são impostos, são lançados e aceitos se quiserem. Podemos repelir qualquer energia que nos seja lançada. Porém, quando oramos, ela por segundos pensou em Deus, mas não aceitou nossos pensamentos e sugestões de voltar ao Bem. De forma que, pelas orações, recebemos fluidos benéficos, mas se pensarmos negativamente não conseguimos receber. Quando oramos, os dois vigias afastaram-se alguns metros e ficaram nos olhando. Cleusa dirigiu-se a eles.

– Vocês dois não querem orar conosco? Não querem ajuda? Não precisam de auxílio? Por que não a perdoam?

– Calma aí, moça! – respondeu um deles. – Perdoar por quê? Ela nem pediu! E por que se preocupa conosco? Não queremos nada de vocês. Não queremos orar. Ajuda? – riu. – Uma garrafa de pinga será de bom gosto.

Nós nos afastamos. Despedimo-nos dos socorristas, agradecendo. Estávamos sendo aguardados. Fomos todos para um apartamento onde iria desencarnar uma senhora. Alberto explicou à turma:

– Esta senhora é muito boa, teve uma vida digna fazendo do seu dia-a-dia um ato de Amor. Ama a Deus profundamente, ama a si mesma com muito respeito pela vida e ao próximo como a si mesma.

Entramos no apartamento. A senhora que viemos observar morava sozinha, estava no quarto, deitada no leito. Fazia-lhe companhia a filha que estava preparando o jantar na cozinha. Muitos desencarnados bons ali estavam, vieram para estar com ela, todos a amavam. Alguns comentaram:

– Ao saber que minha benfeitora ia desencarnar, pedi licença para vir ficar perto dela transmitindo-lhe o amor que lhe devoto.

– Ela é tão boa! Vou vibrar com carinho para que ela não sinta nada.

Esta senhora estava acamada, aquele dia não estava disposta. Pegou o copo de água para beber e um socorrista colocou um remédio na água. Ela tomou e ficou sonolenta. Três socorristas especializados começaram com delicadeza o desligamento. Após alguns minutos, o coração físico parou, também a respiração. O corpo carnal morreu, seu perispírito separou-se do corpo, sorriu meigamente. Recebeu bons fluidos de todos os presentes. Adormeceu tranqüila. Os que ali estavam por amizade e carinho começaram a cantar canções bonitas que escutamos nas Colônias e Postos. O ambiente estava radiante e com vibrações de muita Paz.

O trabalho dos socorristas terminou e a levaram para uma Colônia. Alguns a acompanharam, outros ficaram.

– Vamos ficar até o enterro – disse um senhor.

A filha veio dar uma olhada na mãe, pensou que dormia ao vê-la quieta. Uma senhora desencarnada aproximou-se da filha e lhe pediu para ver melhor a mãe. Ela, então, notou que a mãe não respirava e entendeu que desencarnara. Ajoelhou-se e começou a orar, lágrimas escorreram abundantes pelas faces da filha. Após acalmar-se, sustentada pelos fluidos dos desencarnados presentes, levantou-se e foi tomar as providências que cabiam no momento.

Afastamo-nos comovidos. Lourival comentou:

– Que diferença! Vimos uma desencarnada de quem muitos maus queriam vingar-se. E esta senhora tantos a ajudar.

Alberto elucidou-nos.

– A desencarnação é a continuação real da vida que tivemos. Ligamo-nos aos nossos atos. Foram duas formas de viver diferentes. Não precisamos saber o que fez uma ou a outra.

Concluímos como deve ter sido a vivência delas. Diretrizes para o bem-viver não nos faltam. Os ensinamentos de Jesus estão aí para todos, como também não é difícil a vivência deles. Felizes os que fazem do Bem o objetivo de suas vidas!

– Por que umas pessoas se apavoram tanto com a desencarnação e outras não? – Hugo indagou.

Meditei por uns instantes, a pergunta de Hugo era realmente interessante. Respondi tentando esclarecê-lo do melhor modo possível.

– Muitos realmente temem a desencarnação. O que normalmente acontece com muitos encarnados é que eles vivem as projeções, esperanças e idéias que preenchem seus pensamentos. Outros, masoquistas, ruminam insensatamente ofensas, dores e angústias, gostando até de se sentirem doentes para ser alvo de atenção. Têm medo de olhar a vida como ela é, porque, se conseguissem ver a realidade da vida, teriam que mudar radicalmente seus pensamentos, modos e atitudes, pois a vida não está preocupada com seus desejos e recusas. Ela é o que é.

Vejamos um exemplo. Quase sempre diante da desencarnação de um ente querido, nos primeiros instantes, preocupamo-nos conosco. "Ai, meu Deus, que será de mim agora?" Depois, diante da dureza da separação, ficamos preocupados e vemos que deveríamos ter tido atitudes bem mais amorosas e benfazejas com aquele ente querido que se foi.

Jesus nos advertiu que estivéssemos vigilantes. Recomendou aos apóstolos: "Estejam cingidos os vossos rins."[2] Isto é, com cintos cingidos. Naquele tempo viajavam colocando nos cintos os pertences mais importantes da viagem. Recomendou-nos, assim, que estejamos sempre prontos para a viagem que é a desencarnação. A vida encarnada não nos dá segurança, passamos do Plano Físico para o Espiritual sem aviso prévio. E muitos encarnados não vivem este conhecimento, esta verdade. Por isto tanta

---

[2] N.A.E. – Lucas, XII:35.

vaidade, orgulho e prepotência. Porque se todos percebessem que nada somos por nós mesmos, nada temos de absolutamente nosso, a simplicidade e humildade seriam a base de nossas relações.

Nas grandes catástrofes do mundo físico, os homens se ajudam mutuamente com simplicidade e fraternidade, porque com o acontecido tudo perderam e naquele instante são iguais. Passados os momentos dolorosos, vão aos poucos voltando as suas ilusões e a se explorar mutuamente.

A humildade cultivada externamente é vaidade e pretensão. A verdadeira humildade somente é vivida quando não a temos como tal, estando totalmente conscientes de nossa pequenez. Se procedermos com humildade, veremos a realidade daquilo que somos e o que a vida é. Isto é fundamental, para que não nos percamos nos caminhos das pretensões e vaidades humanas.

Aqueles que meditam nas verdades dos ensinamentos de Jesus esquecem-se de si. Não se apavoram com a desencarnação encarando-a como um prosseguimento da vida. Têm como ponto fundamental a glória de Deus manifestada na vida e não nos seus desejos pessoais. Agem como a lagarta que está sempre pronta a aceitar com amor as transformações que a vida quer operar em sua existência. De lagarta faminta, transformar-se em bela borboleta movida pela energia do néctar das flores. Mas para isso é preciso que amemos a Deus acima de tudo, acima de nós mesmos. Mas não Deus distante, sim Onipresente.

Devemos seriamente pensar na desencarnação como prolongamento da vida e, se quisermos ter uma continuação feliz, que o façamos por merecer.

Vimos muitas desencarnações e todos do grupo aprenderam a desligar o perispírito do corpo físico. Lourival e Cleusa gostaram tanto que escolheram trabalhar, após o curso, socorrendo recém-desencarnados.

Meu amigo Antônio Carlos tem razão: aprendemos muito quando passamos o que sabemos aos outros. Amei participar deste curso!

Numa Reunião Espírita

No dia e hora marcados para a orientação dos socorridos do Túnel Negro, fui ao Centro Espírita e lá me encontrei com Elisa.

– Patrícia – disse ela –, estou ansiosa e também preocupada. Será que Walter irá querer a ajuda oferecida?

– Espero que sim – respondi. – Como estão eles? Como está Walter?

– Estão como os deixamos, alguns mais agitados. Serão trazidos do Posto para o salão logo mais.

Construído da matéria do perispírito, o Posto de Socorro está acima da construção material do Centro Espírita. Muitos Centros Espíritas têm este pequeno hospital, um lugar de emergência, como a continuação da construção material, ou perto. Quase sempre esta continuação de auxílio tem um pequeno ou mini-hospital para os primeiros socorros. Como também tem locais para moradia de alguns desencarnados que lá trabalham. São muito úteis, mas sempre singelos e acolhedores. Quando o Centro Espírita tem Posto de Socorro, os socorridos ficam provisoriamente neste lugar e são trazidos ao local da reunião mediúnica antes do início. O Posto de Socorro deste Centro Espírita é muito bonito, quadros de lindas paisagens enfeitam suas paredes e há sempre flores a alegrá-lo.

Enquanto aguardava, fui rever amigos desencarnados. Após muitos abraços e conversas, tomamos nossos lugares, porque logo iriam iniciar os trabalhos programados. Meu pai chega bem antes da hora e fica orando e meditando. Porém, muitas pessoas vão antes também para conversar com ele e tirar dúvidas. Ele procura atender a todas, ensinando-as. Os encarnados foram chegando. Que bom vê-los, convivi com muitos deles e alegro-me por serem meus amigos. Emocionada, escutei meu pai.

"Muito se tem dito sobre o significado das parábolas do Mestre Nazareno. No Ocidente, quase a totalidade das pessoas se dizem cristãs. É indiscutível ter sido Jesus o maior espírito de que temos notícia, expoente em valores e qualidades dentre todos os instrutores conhecidos pela nossa humanidade. E nós, cristãos, conhecemos, ou deveríamos compreender os ensinos de Jesus e ter seu exemplo como meta de vida. Vangloriamo-nos sempre de sermos seus seguidores. Porém, a maioria de nossas atitudes, nossas reações diante das relações que a vida nos impõe e nosso relacionamento não diferem muito das pessoas ditas não cristãs. Não estará algo errado? Admitindo que sim, não serão naturalmente os ensinos de Jesus, mas a maneira de entendê-los ou traduzi-los na nossa maneira de viver.

Criamos uma complexidade enorme em nossa estrutura psíquica, no nosso patrimônio espiritual, ficando repletos de créditos, conhecimentos e posições adquiridos por uma autovalorização dos próprios atos realizados. Nossas ações estão baseadas na reciprocidade. Não sabemos fazer nada se não tivermos a visão de um retorno de ganho pelos nossos atos. Não costumamos gravitar em torno do Centro da vida que é Deus. Com exceção de poucos, o centro pelo qual gravitamos é nosso próprio ego. Todos os nossos pensamentos e ações têm o seu próprio benefício como fim. Aprendemos adorar a Deus o que é muito fácil. Não nos exige nem esforço físico e nem perda pecuniária. Não sabemos ainda vê-Lo e amá-Lo nas suas manifestações. Amá-Lo na sua onipresença requer sensibilidade e visão acurada da realidade dos fatos da vida. Temos conhecimento através dos relatos de desencarnados que este sentimento de ganho e perda nos acompanha após a desencarnação. Instituem-se nas Colônias o bônus-hora para que os recém-chegados, condicionados ao ganho, não se sintam desestimulados para o trabalho. O bônus-hora é um incentivo ao espírito ocioso, ou, em outras palavras, o espírito que ainda vive em função da sua própria pessoa e que ainda não sabe sobre o valor do bem coletivo. Recebem-nos para que tenham estímulos para trabalharem em seu benefício e do bem do seu próximo.

Amar a Deus é tê-Lo como centro da própria vida, vê-Lo, senti-Lo, ter afeto por Ele em todas as suas manifestações. Jesus disse: Senhor, bem-aventurado por ter ocultado isto aos sábios e prudentes e revelado aos simples e pequeninos. Sábio não é sinônimo de erudito, daquele que muito conhece, que tem a qualquer momento de cor as citações do patrimônio intelectual e religioso da humanidade. Não condenamos o conhecimento dos livros sacros, eles nos são necessários, mas sim a maneira como muitos os utilizam. Eles são meios para que conheçamos a vivência daqueles que nos antecederam. Estes arquivos proporcionam ao ser humano a evolução e, interminavelmente, devemos crescer pela mente e pelo espírito. Para que estes ensinos façam parte de nossa vida é necessário que o exemplo do Nazareno seja compreendido e não decorado como temos feito há quase dois mil anos. Ao compreendê-los veremos que Jesus via e vivia, assim já não mais faremos a Sua vontade e sim a nossa, que passa a ser como a Dele, porque veremos como Ele o que é falso e o que é verdadeiro.

Disse Jesus aos seus apóstolos: "Ide, ensinai, curai para que quando os homens virem suas boas obras glorifiquem o Pai que está nos céus." Quanta simplicidade, quanta humildade! Fazer os maiores benefícios à humanidade e esquecer não só do ganho pecuniário como também de qualquer agradecimento ou reconhecimento do beneficiado. Fazer por amor à vida que se manifesta no necessitado e em si mesmo. Agir de tal forma que possamos ver em cada ser humano a imagem e manifestação de Deus. E não exercitarmos o culto da idolatria da personalidade de José, Sebastiana, Maria, Antônio, etc."[1]

[1] N.A.E. – As passagens citadas do *Evangelho* não estão na íntegra e nem cito capítulo ou versículo. Escrevendo os ditos de meu pai, fiz como ele costuma fazer, nada decorado, sim compreendido.

Um freqüentador indagou a meu pai:

– Por que tenho tantos conflitos? Como poderei eliminá-los?

– O maior drama do homem não está na pressão e nas dores externas. A própria morte física é passageira – respondeu meu genitor. – O grande drama, a grande dor é o conflito que existe entre o que sou e o que me ensinaram que deveria ser. Temos aprendido que devemos reprimir nossos impulsos egoístas para que possamos viver bem com o nosso próximo. Enquanto estivermos fazendo a vontade de outros, seja este outro quem for, o conflito permanece e não haverá mudança radical no nosso relacionamento com a vida. Porque, apesar de achar certo fazer o que eles querem, e disto esperar créditos e ganhos, a realidade é que se tem vontade de fazer o que se gosta.

Normalmente nós temos o nosso ego, quase sempre, como centro do Universo. Tudo deve girar em torno do nosso preenchimento, satisfação e prazer. Esta é quase sempre nossa vontade, mas a vida não sabe e não se importa com nada disto, ela tem seu próprio caminho. E aí, insatisfeitos, nos frustramos, ficamos inconformados e às vezes nos revoltamos com o próprio desenrolar dos acontecimentos. Assim batemos de frente com a vida e nossa existência perde todo o sentido de somar com a vida. Precisamos aprender a aceitar a vida como ela é, sem querer que ela seja diferente. Mudar para melhor está em nossas mãos. Aceitar sem contestações o que a vida nos proporciona, mesmo aparentemente em situações e circunstâncias desfavoráveis, pois é nos momentos difíceis que nos superamos, isto se não tivermos dó de nós mesmos. Precisamos compreender que não somos somente filhos de Deus, mas muito mais, que fazemos parte de Sua própria manifestação. Compreendendo isto, vamos entender a diferença existente nos dois filhos do Senhor, na parábola do filho pródigo. O mais velho nunca saiu de casa, sempre fez a vontade do Pai, mas viveu sempre insatisfeito, porque no seu íntimo não sentia as coisas do Pai como suas. E o Pai não o sentia consigo próprio, apesar de amá-lo muito. O mais novo, depois de se afastar, de esbanjar o que pertencia à sua natureza, conheceu a si próprio, compreendeu que ele e o Pai eram um só. Se eram um só, extinguiram-se aí todos os créditos, todos os deveres, permanecendo somente uma única coisa, a unidade de Deus em todas suas manifestações.

Agora, se quer amenizar todos os conflitos e dificuldades que possam perturbá-lo, lembro-o do dito do nosso Mestre diante de circunstância semelhante: Vinde a mim todos vós que andais cansados e sobrecarregados que eu vos aliviarei, pois meu jugo é suave e meu peso é leve. O grande Mestre era viril em todas as suas respostas, não no sentido de machismo, mas de pureza, simplicidade e inocência austera. Dificuldades sempre as teremos, porque relacionamento é atrito de interesses. E toda cadeia de vida é um constante atrito de funções das manifestações de Deus. O conjunto harmônico de todas suas funções compõe a sintonia do Universo. Particularmente este atrito se traduz em conflito entre o que eu quero e o que realmente é. Esta resposta é para aqueles que querem mais profundamente ter a visão do que realmente somos. Se não compreender – falou referindo ao jovem que o indagou –, fique com a primeira parte, vai amenizar muito sua maneira de viver seus conflitos.

Uma médium que há tempo freqüenta a casa, trabalhando regularmente, relatou seu drama íntimo, reclamando que Deus foi e tem sido injusto com ela.

– Minha filha – respondeu meu pai, tratando-a de forma carinhosa –, pensarei no seu caso e verei como amenizar seu drama.

Isto acontece em algumas situações que requerem um estudo maior e a procura de soluções para os muitos problemas que ele escuta. Nunca deixa de atender quem quer que seja. Quase sempre responde de imediato, mas, neste caso, ele teria que meditar para achar a melhor maneira de ajudá-la.

A reunião começou e transcorreu tranqüilamente, acontecimentos que narrarei no capítulo seguinte. Tempos depois me encontrei com Elisa que curiosa me indagou sobre este fato.

– Patrícia, qual foi o conceito do Sr. José Carlos sobre Deus ser justo ou injusto? Sei que ele resolveu a questão junto à médium. Mas gostaria de saber a opinião dele sobre tão delicada questão: Justiça ou Injustiça Divina.

– Elisa, não posso responder por ele. Hoje, papai está em viagem de negócios e, pelo que sei, a máquina que levou para consertar irá ficar pronta somente à tarde. Neste momento está almoçando. Vamos até ele!

Elisa me acompanhou, contente, em instantes estávamos ao seu lado. Papai acabara de almoçar. Não tendo nada para fazer fisicamente entrou no seu costumeiro fluxo de pensamento. Isto acontece normalmente quando está só e sem obrigações físicas. Então carinhosamente lhe perguntei:

– Papai, Deus é justo para uns e injusto para outros?

Como sempre faz, tirou de um relacionamento físico entre as pessoas e colocou ali o simbolizado de como deve ser o relacionamento entre Deus e nós, nós e Deus.

Pedi a ele novamente que gravasse seus pensamentos; ele o fez em guardanapos de papel. Agora que escrevemos este trecho, pedi a Tia Vera que solicitasse a ele estes guardanapos. Gentilmente nos cedeu, transcrevo na íntegra. Aí está sua resposta.

"Normalmente, quando tudo dá certo conosco, achamos que é merecimento e que Deus nos faz justiça. Quando nos são negados nossos anseios de preenchimento mental e satisfação física, ou seja, quando não está acontecendo o que queremos sentimo-nos injustiçados principalmente ao nos compararmos com outras pessoas. Por que ele tem e eu não? Achamos que Deus não está fazendo justiça conosco e que estamos sendo punidos. É que trazemos cargas negativas do passado que ocasionam frustrações no momento. Como também atos desta encarnação podem ter sido os motivos para muitas decepções. Normalmente não vemos a realidade da vida e sim a projeção das nossas ilusões, temos a vida física como fim e não como meio.

Muitas vezes, justo ou injusto, de acordo com nossa compreensão, baseia-se no que damos e no que achamos que devemos receber em troca.

Nós nos sentimos injustiçados, porque quase sempre temos como meta a nossa distração, preenchimento e prazer. Transformamos as funções e necessidades do nosso corpo físico e a capacidade pensante como fim da nossa existência. Não chegamos a olhar a vida como um todo e a desempenhar eficientemente nossa parte neste conjunto. Já imaginou se o coração do homem se sentisse injustiçado por não ter folga e nem descanso físico? Que seria do homem? Diante deste exemplo, vemos que cada um deve fazer o que lhe compete, não esperando recompensas, mas, sim, conscientes de que se deve realizar o potencial nobre que a vida lhe concedeu. Apesar de insignificantes diante do cosmo, fazemos parte dele. Portanto, precisamos desempenhar nossa função como parte da vida e não viver para os nossos prazeres e conquistas, materiais ou espirituais.

Deus não cria suas manifestações para puni-las ou agraciá-las. Cada qual tem sua função e utilidade, assim como o grão de areia tem sua função no deserto ou na praia do mar. Punir uma manifestação seria reconhecer sua própria falha.

Ao comprarmos uma máquina nova, o fabricante nos dá garantia da mesma, se ela falhar na sua função não foi a intenção do fabricante nos punir. Pois a garantia da mesma fará com que ele lhe restaure suas funções. Sendo ele, no caso, o mais prejudicado, pois, além da reposição, ainda poderia ter seu nome comercial prejudicado e posta em dúvida a sua idoneidade. Não somos uma máquina e a falha nunca está em Deus, está na nossa maneira de nos relacionarmos com Ele, com a vida. Na maioria das vezes, nossos ânimos e desejos não encontram ressonâncias nos planos traçados pela vida, pelas nossas vivências anteriores. Às vezes o que desejamos não é o que podemos ter. Quase sempre nossos desejos são saturados de egoísmo. O da vida é saturado de grandeza, de amor, de realização plena do homem.

Na Terra, cada variedade de raça recebe com maior ou menor intensidade o que necessita para desempenhar e enobrecer as qualidades da sua espécie, a raça a que pertence. O grupo humano não foge à regra natural, só nos é acrescentada a liberdade da livre escolha, cumprindo a função para a qual fomos chamados. Ao nos harmonizarmos com as leis Divinas, nos sentiremos felizes a caminho do progresso. Desprezá-las cria um ambiente vibratório individual de desarmonia que pode chegar a atingir aqueles que nos cercam e ter a ressonância de vibrações inferiores. Será que Deus criou a Terra com todo seu aparato animal e vegetal somente para desfrute do homem? O ser humano foi criado para desfrutar à custa daqueles que caminham com ele? Não! Por todos os seus atos de abuso há a conseqüência de que, não compreendendo, acha, então, que Deus está lhe sendo injusto.

Temos quase sempre nas nossas vivências buscado o significado da vida, tentando adivinhar por que razão Deus criou o homem. Talvez por darmos importância demais ao que pensamos ser, ou pelos sentimentos que cultivamos de tão importante questão. Deus é profundamente simples. Para que possamos ouvi-Lo e senti-Lo é preciso antes de tudo ser simples como Ele. Um exemplo da simplicidade de Deus é sua onipresença tanto no nosso Cristo quanto num verme desprezado por todos. Devemos nos despojar do cultivo da autovalorização, vaidade, orgulho e presunção para nos tornarmos melhores. Não assumindo nossa participação no conjunto do orbe terráqueo, nos sentimos excluídos de obrigações e responsabilidades. Aí, o que acontece com o restante dos habitantes da Terra? A conseqüência é esta, que estamos vendo: destruição e devastação do que a natureza levou milhões de anos para realizar. Não nos sentindo parte do Universo, parece até que estamos aqui para usar e desfrutar, não tendo nada a responder e nem responsabilidade sobre o que acontece com a Terra e seus habitantes, se sofrem dores e misérias.

Não podemos compreender aquele do qual estamos separados e, enquanto assim estivermos, não faremos parte do todo. Se conseguirmos participar, seremos um só. Não há maior nem menor, meu pequeno eu se perde diante da importância do grande todo.

Que restou então para mim e para minha espécie? Viver, e neste viver conhecer e compreender minhas funções e as daqueles que nos cercam, fazendo assim um todo harmônico. O que os irracionais fazem instintivamente, o homem deve fazer conscientemente e espontaneamente. Os irracionais não têm escolha, o homem pode escolher entre participar ou recusar do banquete de Deus que é a própria vida, refletindo assim a simplicidade e o equilíbrio do macro refletido no micro. Sem nenhuma pretensão anterior, ou posterior, ou do momento presente, pois estes são produtos do egoísmo oriundo da mente temporal. Deus é atemporal.

Deus é profundamente justo. Não há desvios e nem preferências nas suas leis. Recebemos de acordo com o que fazemos. As nossas vibrações são resultados do nosso estado interior, são elas que vão proporcionar união com vibrações harmoniosas ou perturbadas, causando a dor e angústia ou a felicidade. Conhecendo a Lei da Reencarnação, entendemos melhor a justiça Divina. Compreendendo Deus, veremos que tudo que Ele faz é justo, pois nada deve a ninguém. Tudo que recebemos é graça e de graça, nada temos feito para ter crédito com Deus. Pois, por mais que façamos, é Dele que recebemos o potencial, a capacidade e a oportunidade de agir. Se vivermos esta verdade, nunca passará pela nossa mente a questão de Deus ser justo ou injusto."

Meu pai é meu mestre. Alegro-me muito aprendendo com ele.

Recuperação dos Socorridos

Após a oração, começou o trabalho de desobsessão. Para nós, desencarnados, os trabalhos começaram bem antes. Tudo é muito bem organizado. É feita a lista dos desencarnados que vão ser orientados. E estes são trazidos do Posto para o salão onde é feita a reunião. Eles ficam metros acima dos encarnados. O forro e o telhado da construção material desaparecem para eles. Os desencarnados trabalhadores e eu vemos a parte material como se fosse um desenho que não atrapalha em nada. Tendo previsão de quantos médiuns virão, é feita a programação para que o trabalho tenha o melhor proveito possível. Muitos dos que vão receber a orientação por uma incorporação ao ver o trabalho dedicado dos trabalhadores, ao escutar as conversas edificantes, a leitura do *Evangelho* e sua explicação, já se sentem com vontade de mudar e muitos nem precisam mais incorporar.

No sentido espiritual, para a alma em evolução, a vida material é um ambiente hostil. Justificamos quase sempre nossas falhas levando em conta que a maioria age da mesma forma, alegando, então, que não somos santos e assim não podem exigir de nós uma maneira digna de agir. Desta forma criamos um vazio ou distância entre o que fazemos e o que deveríamos ter feito. É como o aluno que freqüenta a escola e não se aplica no exercício de ensino, no final do ano, ao fazer as provas, pode ser reprovado. Quando um desencarnado se depara frente a frente com um encarnado que age dignamente, sem no entretanto ser tachado de santo, o estímulo é imediato, a visão do fato dispensa comentários dele ou de quem quer que seja. Palavras ensinam, exemplos arrastam.

Mas a maioria dos socorridos necessitava de incorporação, como era o caso de Walter e seus companheiros, que agitados sentiam falta da sensação das drogas e não conseguiam entender o que realmente estava acontecendo. Foram todos incorporados. Contarei a incorporação de Walter porque foi muito importante para mim e Elisa.

Walter foi colocado perto da médium que lhe serviu de intérprete. Na simbiose da incorporação há uma permuta entre os dois, desencarnado e encarnado. O médium sente os dramas do desencarnado e este absorve parte do equilíbrio do médium. Isto o fez retornar um pouco à realidade. Mas Walter não conseguiu falar direito, só balbuciou algumas palavras:

"Natan... cocaína... preciso... socorro..."

Nestes dois dias que Walter ficou no Posto, meu pai e a equipe desencarnada, principalmente com os médicos interessados no socorro dos viciados desencarnados, estudaram um modo de orientar estes irmãos imprudentes e infelizes. Iriam testar um modo de ajudá-los e todos os trabalhadores do Centro estavam esperançosos, esperando resultados positivos.

Meu pai foi falando com ele, enquanto a equipe desencarnada reforçava o que lhe era dito. Acalmaram-no. Walter foi induzido a voltar no tempo, modificando seu perispírito. Sabemos bem que isto é possível. Os encarnados têm notícias deste processo por muitos livros. O perispírito é modificável. E por quem sabe. Vimos no livro *Libertação*, de André Luiz, psicografia de Francisco Cândido Xavier, um desencarnado das trevas modificar o perispírito de muitos na sua cidade umbralina. Vemos, sempre pelo Umbral, desencarnados com aparência monstruosa e muitos modificados por eles mesmos, para melhor assustar. Sabemos também de muitos desencarnados modificarem seus perispíritos para ficar com a aparência de outros, para enganar e mistificar. Conhece-se a árvore pelos frutos. Conhece-se o desencarnado por seus fluidos, estes não são modificáveis. Nos Planos Espirituais Elevados também se modifica o perispírito. Seja a aparência dos bons, com a finalidade de ajudar, ou eles modificam de outros que no momento não têm por si mesmo como mudar. Recuperam os muitos socorridos de formas monstruosas, animalescas e deformadas, deixando-os perfeitos novamente. Também podem rejuvenescer e tomar a aparência de antigas encarnações. Os desencarnados bons só usam este processo para serem úteis. Desencarnados que sabem mudam de aparência em qualquer lugar e por muitos motivos, bons, para ajudar, maus e brincalhões, para enganar, confundir e assustar. Porém, continuam a ser os mesmos.

Com Walter foi usado este processo. Foi feita uma regressão até que ficasse com a aparência da idade de meses antes de ele começar a se drogar. Forçando mais um pouquinho, conseguiram, com êxito, fazer ele se sentir mentalmente como na aparência. Walter tornou-se um garoto de catorze anos, gorducho, rosado de olhar esperto. Com a aparência física jovem, não foi difícil fazer com que assumisse sua vida passada, mesmo porque no seu inconsciente havia um desejo enorme de fugir de sua atual situação. Consolidando seu equilíbrio, assumida está a situação. O doutrinador tem que adquirir a confiança e a amizade do socorrido. Através do carinho e da compreensão, convidaram-no para ver a vida de um amigo que muito errou e que precisava de auxílio – neste caso, a dele mesmo. Então foram mostrando a sua auto-escravização no vício e o seu conseqüente sofrimento. Quase sempre ao ter as primeiras visões do seu passado, já drogado, há também recusa instintiva para aquelas atitudes, como também a recusa de que foi ele próprio que viveu determinadas passagens. O doutrinador deve insistir para que se concentre no personagem assistido. Em poucos instantes, ele se reconhece e começa a se desesperar e tentar assumir novamente seu estado anterior, de drogado. Neste momento é preciso muito esforço dos trabalhadores desencarnados para lhe manter o equilíbrio. O doutrinador deve ter autoridade direta sobre ele, mantendo-o no estado que foi levado pela regressão, isto é, permanecer com a aparência física e mental de antes de se drogar. O doutrinador deve agir com muita autoridade, afeto e carinho, insistindo na sua recuperação. Com ele, Walter, que já havia sentido a harmonia do estado anterior, antes de se drogar, encontrou base para não se desesperar e assumir um novo equilíbrio já na sua personalidade atual. Não se deve esquecer também que, durante todo o socorro, neste processo o equilíbrio do médium é fundamental, pois naqueles momentos os dois agem como um só. Também o médium deve estar em sintonia com o doutrinador, respeitando-o e confiando na sua capacidade de dirigir os dois. Walter se analisou. Meu pai, como orientador encarnado, falou com ele que passou a entender perfeitamente.

– Meu filho, você está numa reunião de Amor e Caridade. Aqui estamos tentando ajudá-lo para que seja livre. Estamos a lembrá-lo do que aconteceu, de fatos vividos por você. Você é um garoto sadio que foi experimentar drogas e a elas ficou preso. Recorde! Uma dose, a segunda, mais outra e veja como ficou. Desencarnado, você continuou em espírito ligado às drogas, porque a morte não nos liberta dos nossos vícios.

Walter ficou assustado. Lembrou de tudo, lágrimas escorreram abundantes de seus olhos.

– Perdão, meu Deus! Perdão! – falou emocionado. – Tenho horror em ver como fiquei! Não quero ser um trapo humano! Quero ficar assim, sadio e com raciocínio. Nunca mais me viciarei!

– Então aceita nosso auxílio? – indagou meu pai.

– Peço-o em nome de Deus! – falou Walter chorando.

– Será acolhido e orientado! – falou meu pai.

Walter foi tirado de perto da médium. Elisa pegou na sua mão e disse com carinho.

– Walter, meu filho! Meu anjo!

– Mãe – disse ele. – Minha mãe!

Olhou para Elisa e não a reconheceu, mas sentiu que ela era, ou melhor, fora sua mãe. Elisa fora sua genitora na encarnação anterior.

– Sim, sou eu – disse Elisa –, sua mãe Gertrudes.

Walter, cansado pelas emoções, adormeceu nos braços de Elisa que se pôs a chorar baixinho de emoção e gratidão. Finalmente recuperara seu ente querido.

Este processo tem êxito recuperando desencarnados viciados. Tomando a forma perispiritual de antes de se viciar, tem-se força para dominar o vício. Muito poucos nestes processos não recordam o período de viciado, mas é bom que recordem para que saibam e entendam o tanto que sofreram. Todos os socorridos do Túnel Negro pediram ajuda e foram acolhidos. O tratamento continuaria. Todos foram levados a hospitais próprios, onde a ajuda psicológica seria a mais importante, juntamente com a Evangelização.

Em algumas doutrinações como a de Walter, pode acontecer de o socorrido ver tudo que se passou com ele e não querer a ajuda oferecida, preferindo continuar no vício. A escolha é dele, todos nós temos o livre-arbítrio a ser respeitado. Neste caso, o doutrinador ainda deve argumentar tentando ajudá-lo a se modificar. Recusado, deve ser deixado a agir como escolheu, ser retirado do local, do Centro Espírita. Neste caso, sem sustento de bons fluidos, volta logo ao seu estado deplorável de drogado. Será numa outra ocasião socorrido novamente; quando estiver cansado das drogas, aceitará a ajuda oferecida.

Também o doutrinador deve ficar atento para não deixar o socorrido ter remorsos destrutivos. Incentivando-o a ter esperanças de vida no futuro e reparar seus erros pelo trabalho útil e no Bem.

Uma convidada desencarnada que assistia à reunião indagou a Maurício que estava ao meu lado:

– Maurício, o drogado é responsável por todos seus atos errados? Como, por exemplo, aquele rapaz que ao discutir com sua mãe a empurrou com força, levando-a a cair e bater com a cabeça e desencarnar. Agindo assim sob o efeito da droga, ele é culpado?

– A intenção de um ato errado é muitas vezes pior que o próprio ato – respondeu o interpelado. – Ele não teve a intenção, não queria a morte física de sua mãe. Mas foi ele a causa da desencarnação. É culpado. É muito difícil um drogado não saber que age erradamente e que poderá ter por isto acontecimentos trágicos em sua vida. Em todos nossos atos é levada em conta a intenção. Notamos que este rapaz tinha na sua memória este fato lhe trazendo muitos sofrimentos. Vimos também que a recuperação total dos viciados sem outras faltas é mais fácil, o que não se pode dizer de outros que, junto com o vício, têm outros erros.

Deve o encarnado pensar bem nisto antes de seguir o caminho das drogas. Nas conseqüências tristes que advirão, como aconteceu a este rapaz que, mesmo amando a mãe, foi a causa de sua desencarnação.

A reunião terminou após a oração feita pelos encarnados e os orientadores desencarnados energizaram beneficamente todo o ambiente e, também, as pessoas presentes.

Os encarnados conversaram trocando idéias e os desencarnados estavam contentes com o êxito da experiência. Todos os socorridos do Túnel Negro estavam relativamente bem. Elisa levaria Walter para a Colônia Perseverança, onde trabalhava. Minha amiga, desde que soube que Walter era viciado em tóxicos, pediu para trabalhar na parte do hospital onde estão os internos que se recuperam das drogas. Agora iria também cuidar dele. Despediu-se de nós agradecida, chegou perto do meu pai e agradeceu; ele sentiu uma vibração diferente, carinhosa, que só os gratos conseguem emitir, e sorriu em resposta.

Dois trabalhadores desencarnados do Centro Espírita ajudaram Elisa a transportar Walter ainda adormecido para a Colônia. Os encarnados foram embora, os desencarnados socorridos levados para onde deveriam ir, houve despedidas. Voltou a rotina no Centro Espírita até a próxima reunião.

Também voltei à Colônia e aos meus afazeres. Porém, sabia que não ficaria assim. Natan já havia descoberto quem entrara nos seus domínios e raivoso queria, no seu modo de pensar, acertar contas.

Acompanhei os acontecimentos.

Natan

Procurei sempre que possível ir às reuniões para seguir os acontecimentos. Quando não podia, Artur, um dos orientadores do Centro Espírita, amigo de muitas encarnações de meu pai, me colocava a par do ocorrido.

No Umbral, sabe-se de tudo, quando se quer. Natan, ao voltar ao Túnel Negro naquela noite que lá estivemos, ficou sabendo de tudo. Falaram-lhe que um grupo de desencarnados com um encarnado ali foram e tiraram todos da fortaleza, levando com eles os que quiseram.

Nada foi danificado com a nossa excursão ao Túnel Negro, só tiramos alguns desencarnados de lá. Como Elisa previu, Natan logo soube o nome do encarnado, onde morava, seus familiares e o Centro Espírita que freqüentava. Dois de seus servidores, ou seja, desencarnados ligados a ele no trabalho comum, foram observar meu pai e o Centro Espírita.

Na reunião seguinte do grupo, foram os dois ao Centro Espírita levar um recado de Natan. Entraram como convidados, não despojaram suas armas, aguardaram o início da reunião em silêncio. Um dos orientadores da casa lhes explicou como proceder no local. Querendo conversar por meio de uma incorporação, tiveram que aguardar na fila e só seria permitida a comunicação deles no momento previsto. Um deles ficou a observar tudo curioso, segurou para não chorar ao ouvir a explicação do *Evangelho* e as orações. Quando foram chamados para incorporar, pediu ao companheiro que o fizesse. O outro, desde que entrou no Centro, ficou quieto e o tempo todo de cabeça baixa, esforçando-se para demonstrar que era educado, estava seguindo as ordens recebidas de Natan.

Respondeu ao cumprimento de boa-noite quando lhe foi dirigida a palavra ao ficar perto de uma médium. Depois, assistido e influenciado pela mente de Natan, falou para que veio, como se fosse o próprio, como se o chefe do Túnel Negro estivesse ali.

– Meu chefe Natan não gostou da invasão que fizeram nos seus domínios. Sofremos uma violação e exigimos reparação. Sabemos também que esta invasão foi para atender um pedido de sua filha desencarnada, e que ela estava junto. Não sei por que se interessam por imprestáveis, já que foram lá só para pegá-los.

– Por que chama os toxicômanos de imprestáveis? – meu pai indagou.

– São outra coisa? – respondeu ele rindo. – Nem raciocinam mais! Só servem para experiências. Drogados são fracos e inúteis. Não é à toa que, quando se quer vingar de alguns encarnados, incentiva-se-lhes aos vícios. Se tiverem tendência, perdem-se nos tóxicos e tornam-se completamente escravos dos vícios e uma presa fácil de seus vingadores. Viciados são fantoches, farrapos humanos. Natan não achou ruim terem levado de lá os imprestáveis. Irritou-se por terem entrado lá sem permissão.

– Se eu tivesse pedido permissão, ele deixaria? – indagou meu pai.

– Entrar lá, não! Mas lhe daria os imprestáveis – respondeu ele, rindo cinicamente.

– Daria mesmo? – insistiu meu pai que conversava com ele como orientador encarnado da casa.

– Ora – respondeu ele –, não todos ou nem tanto, talvez lhe desse alguns. É nosso costume atormentar mais ainda os que são do interesse dos bons.

Fez uma pausa.

O que este desencarnado falou, infelizmente, é o que costuma acontecer. Porém, não é regra geral, mas é o que ocorre normalmente. Notando que alguém que está nos seus domínios é do interesse dos socorristas, eles querem saber o porquê e o torturam.

Às vezes, fazem isto achando que, com este ato maldoso, vingam-se dos interessados. É sempre feita com cautela a demonstração deste interesse. Logo após esta pausa em que ele observou bem o local, continuou a falar calmamente.

– Deixemos de conversas! Natan exige a devolução de todos, e desculpas com pompas. Quer a reparação! Você com seus comparsas devem ir ao Umbral em horário marcado e, na frente dos convidados dele, se desculparem.

– Volte e diga a Natan que não quisemos afrontá-lo. Mas por circunstâncias particulares e justas tivemos que ir lá. Não lhe devolveremos nenhum dos que nos pediram abrigo e infelizmente não faremos o que ele quer.

Todos nós presentes, tanto os encarnados freqüentadores quanto os desencarnados, sabíamos que Natan através de uma ligação com o desencarnado que falava estava vendo e ouvindo o que ocorria na reunião. Mas, como ele mandou recado, recebeu resposta para que o portador a levasse até ele. O desencarnado irritou-se com o que ouviu, porém, controlou-se e respondeu:

– Quero deixar claro que ninguém estava lá obrigado. Se existiam alguns presos foi por não cumprir obrigações. Vocês estão arrumando confusão. Vou embora e darei o recado.

Saiu de perto da médium. Este desencarnado falou a verdade. No Túnel Negro ninguém permanecia nos seus domínios obrigado. Os viciados iam lá à procura da droga. Os toxicômanos submetem-se aos piores vexames e situações humilhantes para obter o objeto de seus vícios.

O outro que viera junto, o que observava tudo, enquanto ele falava, chegou perto de um dos trabalhadores e pediu:

– Será que vocês não me abrigariam? Gostei daqui, quero ficar.

– Certamente que sim.

Ao sair de perto da médium, este desencarnado procurou pelo amigo e o viu na fila dos que iam para a Colônia como socorridos. Olhou para ele e não falou nada. Saiu do Centro Espírita e foi cumprir a tarefa que lhe foi imposta por Natan.

Como era previsto, Natan não gostou da resposta. No dia seguinte preparou seus servidores direito, armou-os e ordenou que fossem ao Centro Espírita e o invadissem. Deu ordem para expulsar todos que lá se encontravam e quebrar tudo. Ele não veio junto, ficou no Túnel Negro.

Artur, prevendo o ataque, organizou a defesa do Posto e do Centro Espírita, aguardaram-nos tranqüilos. Tentaram realmente invadir, mas, quando estavam perto, Artur e companheiros saíram e foram se encontrar com eles, dominaram-nos pela força mental, imobilizando-os. Foram levados para o pátio, desarmados, e depois foram todos encaminhados para dentro do Posto numa sala própria. Voltaram ao normal e Artur conversou com eles. Prosearam por horas. Puderam perguntar sobre tudo, Artur esclarecia-os. Viram a Colônia pela tela e lhes foi oferecido socorro médico e abrigo. Após, Artur abriu a porta da sala e disse:

– Saiam os que querem, só que irão sem as armas. Os que quiserem ficar conosco serão bem-vindos.

Muitos estavam indecisos. Se voltassem, seria como fracassados, não tendo cumprido a tarefa que lhes fora imposta. Temiam o chefe. Mas gostavam da vida que levavam e não queriam mudar. Foram poucos os que gostaram do que lhes foi oferecido por Artur em nome de todos os trabalhadores do Centro. Muitos dos desencarnados que vagam pelo Umbral não têm idéia de outra forma de vida desencarnada; ao conhecer, aceitam, querem esta mudança. Outros, indiferentes, querem mesmo continuar como estão. Alguns ficaram na sala, a maioria saiu. Muitos destes foram para o Umbral, iriam vagar sem rumo, não tinham coragem de voltar ao Túnel Negro, temiam Natan. Outros, mais corajosos, voltaram para lá, ficamos sabendo após que não foram castigados. Os que permaneceram querendo socorro foram levados para a Colônia, para a Escola de Regeneração. As armas, do mesmo material que constitui nosso perispírito, foram destruídas.

Natan mandou dois desencarnados dos seus servidores, os de sua confiança, para ficarem perto de meu pai e estes trouxeram outros dois desencarnados viciados que foram induzidos a pensar que meu pai ia lhes dar drogas. Desencarnados viciados têm fluidos pesados e angustiantes. Artur levou os dois viciados para o Posto do Centro onde foram dados os primeiros socorros, sendo orientados na reunião seguinte da mesma forma que Walter e com o mesmo êxito. Artur fez um pequeno esquema especial de proteção aos médiuns e freqüentadores do Centro, para que não fossem atingidos pelos seguidores de Natan, como também para as pessoas que cercam meu pai e os meus familiares. Os outros dois, meu genitor os convidou para ficar com ele. Seguiram-no de perto por dias.

Natan, vendo seus dois melhores seguidores em perigo, chamou-os de volta. O perigo era que se convertessem. Meu pai ora, medita, lê e faz com que os desencarnados que estão junto dele escutem. Trata-os com bondade, porém com firmeza e não aceita suas interferências. Apesar disto cansá-lo muito, tem que estar vigilante vinte e quatro horas por dia. Mas esta pressão o tem feito crescer, porque este orai e vigiai o faz estar em vibração maior que atinge os desencarnados de forma diferente, levando-os a refletirem e a pensarem em Deus.

Natan veio encontrar com meu pai. Esperou-o à noite perto do Centro Espírita e deu recado a um dos guardas que queria falar com ele. Meu pai foi ao seu encontro.

– Você é um feiticeiro terrível! – disse Natan. – Não quero que nenhum dos meus companheiros seja influenciado por você. Quero uma reparação sua e tudo ficará por isto mesmo. Quero que vá ao Túnel Negro e me peça desculpas. Abro mão do resto.

A palavra feiticeiro é dada para aquele que tem força mental e que tanto faz o bem como pode fazer o mal. E, em tom de desprezo, querendo ofender, desencarnados que temporariamente estão seguindo o mal gostam de chamar meu pai assim, como também de indiano, pois ele por muitas encarnações teve a Índia como berço.

– Você tem me observado – respondeu meu pai –, deve saber que sempre que erro peço perdão de coração. Não lhe peço por orgulho, pois não sou orgulhoso. Levo muito a sério o ato de desculpar. Quando o faço, é porque entendi que errei e procuro não me desculpar pela segunda vez pelo mesmo ato. Isto porque, reconhecendo meu erro, me esforço para não errar mais. Não me arrependi por ter ido ao Túnel Negro e libertado não só o desencarnado que foi o motivo de socorro, mas todos os que quiseram nosso auxílio. Faria de novo, por isto, em respeito a você, não posso me desculpar.

Para nos reconciliarmos com alguém, mesmo não sendo culpado, não nos custa pedir desculpas. Meu pai com esta atitude estava querendo ajudar Natan. Queria tentar que este espírito se voltasse a Deus.

– Atormentarei você! – exclamou ele.

– É um direito seu – respondeu meu pai. – Convido-o a ficar comigo.[1] Só que eu também tenho direitos. Você tentará me atormentar, atingir, eu me esforçarei para não receber sua influência negativa, como também tentarei transmitir-lhe as minhas sugestões. Terá que me escutar! Será só entre nós dois. O mais forte irá influenciar o outro. E o mais forte será aquele que tiver sua vida, seus pensamentos e atitudes baseados na verdade. Que esta verdade não seja produto de nossos desejos, esperança ou ambição, mas sim, independente do tempo ou espaço.

– Não sou de fugir de desafio. Vou agora ao Túnel Negro tomar umas providências e voltarei. Aguarde-me!

– Não o estou desafiando. Será um prazer conviver com você! Vamos aprender muito um com o outro.

Natan afastou-se, já havia perdido muitos dos seus seguidores e achou que só ele estaria apto a dar uma lição merecida no encarnado que na sua opinião o desafiou. Natan estava com raiva de todos do grupo, mas com os desencarnados sabia por antecipação que não podia com eles. Com meu pai era diferente, este estava na carne, sujeito a muitos condicionamentos e melindres devido

---

(1) N.A.E. – Anteriormente o Sr. José Carlos havia convidado dois espíritos para ficarem ao seu lado e agora convidou Natan. Para fazer isto, é necessário ter muitos conhecimentos e boa moral. Alerto aos encarnados para não agirem assim, sem o preparo devido.

às necessidades e funções do corpo físico, sendo assim mais fácil de atingir e prejudicar. Achou que atingindo o encarnado atingiria todo o grupo. Organizou tudo para que o Túnel Negro continuasse a funcionar sem ele. No outro dia, foi ao encontro do meu pai e o acompanhou de perto. Meu genitor continuou com sua vida normal de trabalhador no plano da matéria e espiritual. Natan não ficou sendo obsessor de meu pai, talvez curioso, com raiva no momento, quis conhecer como era o dia-a-dia de uma pessoa tão diferente das que convivera.

Natan pressionou meu pai. Forçava-o a pensar em coisas mundanas para que abaixasse a vibração. Meu pai pensava em coisas superiores e forçava Natan a pensar. Ele sentia no pensamento sugestões e desejos mundanos. Porém, mostrava mentalmente a Natan a estupidez e a mediocridade daqueles que usam as necessidades e funções do mundo físico como fim de suas existências. À noite, meu pai desligado do corpo físico ia para seu trabalho e Natan junto. Ia ao Posto do Centro cuidar dos doentes, conversava com os socorridos, e ele ao seu lado. Isto foi por muito tempo, até que Natan começou a se interessar pelo trabalho realizado no Posto e começou a falar de si; atenciosamente meu pai o escutou.

Natan foi médico, quando encarnado. Querendo enriquecer, usou a medicina somente como profissão para ganhar dinheiro. O trabalhador faz jus ao seu salário, mas nenhuma profissão deve só visar o lucro material, mas sim fazer por ela todo o Bem possível. Médicos lidam com dores e devem ser mais humanitários. Trabalhar, sim, pelo sustento material, mas não esquecer de fazer aos outros o que queria que lhe fizessem. Natan fez muitos abortos, dava receitas de remédios proibidos, desde que lhe pagassem a consulta. Mas a desencarnação chegou e se viu diante de muitos inimigos que queriam vingança. A desencarnação o apavorou demais, primeiro porque era ateu, segundo, porque aquele bando o atormentava sem poder destruí-lo. Queriam vingar-se por tê-los impedido de reencarnar e outros, por não terem sidos atendidos, porque não podiam remunerá-lo. Estava irado quando foi tirado do meio de seus perseguidores. Uns desencarnados, moradores de uma cidade umbralina, vieram e o levaram. O chefe desta cidade sabia quem era ele, mas deixou que sofresse por uns tempos para que ele ficasse lhe devendo obrigação. Natan não é o nome verdadeiro dele, escolheu este cognome tempos depois, talvez para impor mais respeito entre seus inferiores. Levado à cidade umbralina, o chefe conversou com ele e lhe ofereceu abrigo em troca do trabalho dele como médico. Natan não era ocioso, sempre foi trabalhador. Aceitou, aliviado por ficar livre do bando que o perseguia e aprendeu muitas maldades. O chefe deste local, querendo organizar um lugar especializado em tóxico, fundou o Túnel Negro e colocou-o para administrá-lo. Com o passar dos anos, este chefe desinteressou-se do lugar e Natan ficou sendo o senhor absoluto. De fato, Túnel Negro não força ninguém a ficar lá e nem seus moradores saem à procura de desencarnados para irem lá. São os viciados desencarnados que lá vão em busca das drogas. Só que eles, depois de serem abrigados, têm que seguir as normas da casa e trabalhar para eles. Existem muitos lugares, abrigos, cidades no Umbral para onde muitos desencarnados viciados são levados obrigados e permanecem como prisioneiros. Como também há outros lugares, como Túnel Negro, onde os desencarnados não são obrigados a ir e nem a permanecer. São lugares de livre acesso.

Natan era insatisfeito. Sua insatisfação doía e o atormentava. Houve troca de fluidos entre eles. Meu pai começou a sentir os de Natan, sentindo doer por dentro. Era um vazio profundo. Um dia, meu pai estava meditando e Natan perto, meu genitor disse a ele:

"Natan, é falta de Deus! É a ausência do Pai em você que lhe dói. Era ateu. Não pode dizer agora que ainda o é. Por que você não se aproxima do Pai?"

Natan não respondeu e se afastou, depois de meses era a primeira vez que se afastava. Recolheu-se num canto no Umbral e pôs-se a pensar. No dia da reunião, quase no horário de começar, ele entrou no Centro, pediu licença e se colocou na fila dos que iam receber orientação pela incorporação. Estava diferente, sem seus colares e suas armas.

Na sua vez de se comunicar, aproximou-se educadamente de uma médium, cumprimentou meu pai e disse:

– Você me venceu!

– Não! Você, Natan, não lutou comigo. Mas consigo mesmo. Era a ausência de Deus que o atormentava. Você é infeliz e o convidamos a aprender a ser feliz. Fico contente por você querer mudar. Gosto de você! Venha viver uma vida digna de um espírito.

– Quero ser seu amigo! – exclamou Natan emocionado.

– Sejamos então amigos! Preciso muito de amigos.

Natan foi levado para a Escola de Regeneração. Após ter feito o curso foi trabalhar num Posto de Socorro do Umbral, onde exerce seus conhecimentos de Medicina em socorro aos necessitados. Sempre que pode vai visitar meu pai e assistir à reunião. Trabalha muito. Artur, sempre que o vê, costuma dizer de forma carinhosa:

"Ama muito, porque foi muito perdoado!"

Artur faz uma modificação do texto do *Evangelho de Lucas*, VII:47. "São lhe perdoados muitos pecados, porque muito amou."

O Médico Nazista

Quando fomos assistir à recuperação de Walter na reunião do Centro Espírita, defrontamos com um caso muito interessante que me chamou atenção e acompanhei o desenrolar do drama.

Estávamos aguardando o início, quando vimos chegar três encarnados: um casal com sua filha adotiva. O casal, principalmente a senhora, queixou-se que a mocinha, a filha, continuava tendo suas crises.

Artur me explicou que Joana, assim se chamava a mocinha, era médium e estava sendo obsediada por alguns desencarnados que foram suas vítimas no passado. Tinha crises em qualquer hora e lugar. Estava procurando meu pai em horários inoportunos para lhe dar passes, porque só assim ela se acalmava.

Minha mãe foi sentar ao lado dela, porque, conforme me explicaram, logo que entrava no Centro começavam suas crises. Minha mãe tinha que fazer força para segurá-la. Seus obsessores tinham sobre ela o domínio psíquico, mesmo à distância. Eles queriam prejudicá-la, pois ela os havia prejudicado.

Gosto muito de ver minha mãe, amamo-nos muito. É a pessoa de que mais gosto, sempre que me é possível vou vê-la, ficar ao seu lado me é prazeroso.

Joana é uma mulata forte, olhar malicioso, demonstra não estar a fim nem de orar nem de se melhorar. Ali está por imposição dos pais e para ficar livre de suas crises que considera ridículas e que lhes estão fazendo passar vergonha. O obsessor chefe era inteligente e sutil. Como ela tem a natureza maldosa, ele passou a incentivá-la a fazer uso da maldade, chegando a ponto de incorporar e tentar matar a mãe e o pai. Fazia-a descuidar completamente da disciplina pessoal e dos compromissos próprios de sua idade, para envolvê-la no seu ardil. O desencarnado dava-lhe conhecimentos do passado das pessoas para que ela dominasse as mais fracas que a cercavam.

Quando seus pais a convidaram para ir até a casa de meu pai, o obsessor aceitou, porque confiava que iria dominar qualquer encarnado que o defrontasse, sentindo-se assim mais forte no seu orgulho e pretensão. Vencidos os primeiros embates, o obsessor sentiu-se admirado pela força que desconhecia e quis aprender com eles, com o grupo do Centro, não para melhorar, mas para ficar mais poderoso.

Artur me pôs a par dos acontecimentos. Joana, na sua encarnação anterior, foi um médico nazista e fez muitas maldades e experiências com os judeus. Reencarnou longe da Alemanha, num corpo feminino e mulato, mas mesmo assim foi encontrada pelos que não a perdoaram. Sabiam que ela comparecia ao Centro para se livrar deles, os obsessores. Sorrindo com seu modo agradável, Artur comentou:

– Patrícia, seu pai por ajudá-la está sofrendo com o rancor destes obsessores. Mesmo assim, está ajudando esta mocinha, embora sabendo que ela não gosta daqui nem dele e que, assim que se sentir liberta destes desencarnados, não voltará mais. Socorremos para mostrar aos encarnados a força espiritual de que dispõe um Centro Espírita, desde que trabalhe em prol do bem comum, e também porque vieram pedir ajuda.

Prestamos atenção na orientação que meu pai deu aos três encarnados: pai, mãe e filha.

– Ficamos livres do nosso passado trabalhando no Bem, no presente. Para ficarmos livres de obsessores, devemos pedir perdão, perdoar e nos harmonizar com as Leis Divinas. Devemos entender que os desencarnados têm seus motivos para perseguir os encarnados, devemos entendê-los e tentar amá-los. Eles também necessitam de ajuda. Para não sermos atingidos pelos obsessores, devemos mudar nossa vibração, sair da faixa mental deles, isto é, pensar em coisas boas e superiores e agir de modo digno. Trabalhar no Bem e amar muito. Vocês aqui estão em busca de auxílio, porém devem ajudar a si mesmos. Certamente, quando você se sentir bem, não voltará mais aqui. Porém, quero lhe dizer uma coisa, você, Joana, é médium, necessita aprender a lidar com sua mediunidade e trabalhar muito para o Bem, para viver tranqüila, sem estas crises. Mas, se você se afastar do Centro Espírita e não se modificar, esta situação que vive agora voltará. Porque os Centros Espíritas estão melhores preparados para ajudar nos casos de obsessões, a ensinar a lidar com a mediunidade para o Bem e neles ouvirá ensinamentos que ajudarão a sua renovação interior.

Joana não gostou muito do que ouviu, mas ficou quieta.

Quando começou o trabalho de desobsessão, três dos que estavam obsediando-a foram se comunicar. Os três foram judeus, ou eram, porque o fator raça era ainda forte neles. Eram dois homens e uma mulher. O primeiro estava sem um braço e sem o olho esquerdo. Cumprimentou mal-humorado, não queria conversar com ninguém, foi perto do médium contra sua vontade, falou com raiva.

– Por que interfere em algo justo? Embora tenham outra religião, vocês amam a Deus. Nunca tinha ouvido falar de religião deste jeito. Oram, dizem fazer o Bem, conversam com os mortos e ajudam os criminosos. Isto não está certo, por que ajudam ele, o monstro sanguinário?

Este desencarnado desconhecia o Espiritismo, estranhou o intercâmbio mediúnico. Desconhecia que para o Espiritismo todos somos filhos de Deus e irmãos uns dos outros.

– Se eu lhe disser que queremos é ajudar você... – disse meu pai, e foi interrompido por ele.

– Ah, mas por que não nos avisaram logo que querem se unir a nós. Quanto mais, melhor!

– Você não entendeu, queremos ajudá-lo a se recuperar, a tornar-se sadio, a viver de modo digno num lugar propício.

– Quem lhe falou que quero ser sadio? – indagou nervoso. – Já me propuseram isto uma vez e não aceitei. Quero ficar como ele me deixou para ter sempre motivo para odiá-lo.

– Sofre e faz sofrer – disse meu pai.

– Nem começamos. É melhor dizer, sofre, e faremos sofrer mais – respondeu ele.

– Não vale a pena! Você já pesquisou por que sofreu assim? Se sabe que continuamos a viver após a morte do corpo, que reencarnamos, por que o está perseguindo em outro corpo? Então sabe que viveu encarnado outras vezes. Vamos, irmão, recordar seu passado?

A equipe desencarnada, já pronta, colocou à sua frente a "tela", como na região chamam este aparelho. Ele é chamado de muitas formas, há algumas diferenças de um local a outro, mas é o mesmo e muito útil. Este desencarnado na encarnação anterior, como judeu novamente, havia numa guerra trucidado muitas pessoas, entre elas jovens e crianças. Ao recordar, deu gritos alucinantes, mas o médium, treinado, só gemeu. Isto porque não necessitaria gritar. Este desencarnado foi acalmado e com dificuldades voltou a falar.

– Olho por olho...

– Não, meu amigo – disse meu pai. – É a lei do retorno, você plantou, você colheu. Você não precisaria sofrer isto, se tivesse entendido a lei do Amor e feito o Bem.

– Ela também colherá o que fez? Pelo que entendi, se ela não fizer o Bem, sofrerá o que fez sofrer. Você não irá conseguir fazer dela uma pessoa boa. Que será dela?

– Deixe-a, irmão, deixe-a! Cuide de você. Vamos recuperá-lo, pense em Deus. O Pai é bondoso e nos ama.

A equipe médica entrou em ação e com os fluidos doados dos encarnados e também pela vontade dele, que agora queria tornar-se sadio, o braço faltoso surgiu perfeito, como também o olho.

– Perdoe, irmão, para ser perdoado!

– Como não perdoar, se devo tanto? Perdôo e peço perdão a Deus. Queria ir para o Plano Espiritual de minha terra.

– Atenderemos seu pedido.

Ele saiu de perto do médium e passou para outra fila, a dos que iam para a Colônia. Após a reunião, seria levado à Colônia São Sebastião por uns dias, depois seria transferido para onde quisesse. Uma equipe da Colônia o levaria.

Normalmente reencarnamos entre muitas raças para aprender amar a todas. Mas, sem ser regra geral, alguns judeus mais radicais ainda têm preferido vir sempre como judeus que esperam o Messias, que se julgam filhos de Deus, o povo de Deus, e são realmente, como todos nós. Não somos diferenciados por raças. Estes desencarnados, totalizando onze, estavam há algum tempo no Plano Espiritual do Brasil à procura, para vingar, deste espírito que foi um médico nazista. Já começavam a dominar o idioma português. O médium que o recebeu, sempre consciente, não precisou falar com sotaque, porque ele transmite o pensamento do outro. Podemos dizer que, nestes casos, sentem mais do que propriamente repetem o que escutam. A mediunidade quando trabalhada é maravilhosa. Assim, ele, judeu, transmitiu pensamentos que o médium traduziu por palavras.

O outro judeu foi incorporado em outra médium e doutrinado por um dos membros encarnados do grupo. Lídia conversou com ele e o fez entender a necessidade de perdoar e seguir seu caminho. Este, porém, quis ficar no Plano Espiritual do Brasil e, quando fosse reencarnar, queria que fosse aqui. Não queria mais ser judeu, porque, segundo comentou, os judeus sofriam muito. Normalmente estes pedidos são atendidos, porém são levados ao departamento próprio da Colônia, onde é estudado cada caso.

A mulher incorporou. Parecia fria, porém sentindo o afeto dos trabalhadores da casa, encarnados e desencarnados, segurou para não chorar. Disse com voz comovida:

– Não sou má, ele, sim, é maldoso! Esconde-se em outro corpo, mas é ele. Pensa, você, ó encarnado, que ela é boa? Não! Nos enfrenta e se pudesse nos faria sofrer tudo novamente. Você acha que é por obsediar que somos maus? Somos vítimas! Vou falar o que ele fez comigo, então me dará razão.

Fez uma pausa como se criasse coragem para recordar e começou:

– Estava casada e feliz, tínhamos uma pequena fortuna e dois filhos lindos. Quando a Segunda Guerra Mundial começou, nos apavoramos, porque sabíamos muito bem que os alemães perseguiam os judeus. Meu esposo alistou-se no exército na tentativa de impedir que os alemães tomassem o país em que vivíamos. Desencarnou lutando. Quando houve a invasão alemã em nossa cidade, fomos presos e nossos bens confiscados. Da prisão partimos para o Campo de Concentração. Sofremos muito, frio, fome e humilhações. Neste campo havia um laboratório onde este médico medonho e outros faziam experiências, ou simplesmente torturavam os prisioneiros pelo prazer de vê-los sofrer.

Vendo meus filhos chorarem de fome e frio, vivendo em muito desconforto, resolvi pedir clemência. Disse a um soldado que queria falar com o comandante. Para minha surpresa, ele me atendeu e me levou à sua sala. Quem me atendeu foi ele, o médico nazista, que me olhou de cima a baixo e me indagou:

"Então, judia, que reivindica?"

Pensando que ele ia me ajudar, falei rápido para não perder a coragem.

"Por favor, senhor, aqui estou com meus dois filhos pequenos, passamos fome e frio."

"Se você se entregar a mim, intercederei por vocês" – disse rindo.

Sempre fui muito direita, fiel ao meu esposo. Pelos meus filhos aceitei a proposta indecente. Depois, quando pensei que fosse me dar o privilégio que esperava esperançosa, ele mandou que um soldado fosse buscar meus filhos. Achei que, pela felicidade dos meus, teria valido o sacrifício. Quando meus dois filhos chegaram assustados, correram ao meu encontro. O mais velho estava com quase sete anos e o outro com quatro anos. Gelei quando ouvi a ordem.

"Leve-os ao laboratório!"

Era no mesmo prédio, na sala ao lado. Cada soldado pegou um de nós e fomos arrastados. Amarraram-me fortemente numa cadeira, ele cínico me olhou sorrindo:

"Idiota! Judia imbecil! Pensou que eu ia me encantar por você? Verá para que serviu sua astúcia em me pedir auxílio."

Pedi a ele por piedade, pelo amor de Deus, que fizesse o que quisesse comigo, mas que não judiasse dos meus filhos. Ele ria. O que ele me fez ver foi horrível. Torturou meus filhos, cortou-os em pedaços até que desencarnaram. Eles gritavam apavorados, olhando para mim. Eu gritava também. Quando os dois desencarnaram, veio me torturar. Começou extraindo minhas unhas. Alucinei. Perdi o controle, era dor demais. Ele não me torturou muito, desencarnei, meu coração não agüentou. Fui socorrida e fiquei tempos louca. Quando voltei ao normal, me disseram da possibilidade de me vingar. Quis com todas as minhas forças me vingar.

Faço uma pausa na narrativa desta desencarnada para algumas explicações. Nos Campos de Concentração, como em qualquer lugar de extermínio humano, há muitos socorristas, como também há muitos desencarnados que agravam os acontecimentos. Mas, também costumam ficar outras vítimas a socorrerem outras. Esta senhora foi socorrida por outros judeus que ali desencarnaram. Ela não foi socorrida pelos desencarnados bons, porque ela estava com muito ódio. Crianças e aqueles que perdoaram eram levados à Colônia ou lugares de socorro. Estes outros, vítimas tanto quanto ela, a socorreram, levaram-na para um pequeno abrigo no Campo de Concentração no Plano Espiritual e, quando ela aparentemente estava melhor, foi convidada a se vingar. Como é triste a guerra, quantas atrocidades se cometem. Vamos desejar a Paz, vamos nos esforçar para ter Paz, começando tendo tolerância e concórdia com os que nos cercam. A Paz começa com um pequeno círculo, se a cultivarmos vai ampliando e atingindo outros.

Aumentando sempre. um dia teremos a Paz por toda a Terra. E fatos como este, muito triste, ficarão na história sem a possibilidade de repetição.

A senhora, emocionada, continuou a falar.

– Ficamos perto dele sem contudo conseguir nossos propósitos. Ele ficava mais nervoso e descontava nos prisioneiros. Mas a desencarnação chegou para ele, foi atingido por uma granada. Desencarnou sofrendo muito. Aí, sim, nos vingamos. Nós o perseguimos por onde ia, vagava urrando pelo Umbral. Até que ele se pôs a gritar por socorro e sumiu da nossa frente. Vim a saber que desencarnados bons o pegaram e levaram-no para uma ajuda. Nós não fomos socorridos, não queríamos, nosso objetivo era fazê-lo sofrer. Durante este tempo, muitos desencarnados bons conversaram conosco, aconselhando-nos a desistir. Escutamos os nossos afins. Muitos do grupo desistiram e foram embora. Ninguém se esconde de seus erros e nem dos que não o perdoaram. Enquanto esperávamos, aprendemos como vingar. Anos passaram e viemos a descobri-lo. Agora querem que eu desista? Por acaso aqui há mães e pais? Será que podem imaginar o que é ver o que eu vi? Sofrer o que sofri? Dá para imaginar ver seus filhos amarrados, gritando de dores e desespero? Odeio-o! Odeio-o!

Fez-se um silêncio total. Todos os desencarnados prestaram atenção, muitos ao ouvi-la conseguiram ver suas lembranças. Alguns choraram. Os encarnados também se comoveram. Ela sentiu os fluidos de amor e compaixão de todos. Uma das trabalhadoras desencarnada da casa aproximou-se dela, abraçou-a e falou emocionada.

– Minha filha, pare de sofrer! Por favor, recomece sua vida. Também sou mãe, entendo seu sofrimento. Compreendo seu desejo de vingança. Porém, lhe digo que este desejo vai perpetuar seu sofrimento. Venha para junto de seus amados. Não sofra mais! Chega! Perdoe e venha conosco. Amarei você como uma filha! Venha!

– Minha irmã! – falou meu pai. – Se ele reencarnou, por que você parou no tempo só para se vingar? Por que não recomeça e tenta ser feliz? Devemos esquecer todos os momentos que nos foram cruéis e só lembrá-los para tirarmos lições. É bem melhor recordar só os bons momentos. Você é infeliz! Recordando sempre este fato, prolonga seu sofrimento. Você acredita em Deus, se Ele nos perdoa por que não perdoa o próximo? Sabe que nada que acontece fica escondido ou impune. Deixe ele, agora ela, em seu novo corpo e cuide de você. Perdoe para ser perdoada!

– Quero esquecer! Esquecer!...

Aninhou-se nos braços da trabalhadora da casa que a abraçou. Foi levada adormecida para a Colônia. A reunião terminou com todos comovidos pelo sofrimento desta senhora e foram muitas as orações em seu favor. Comovi-me também, acompanhei suas lembranças, foram realmente cenas de horror.

Talvez vocês ao lerem pensem que retrato muitas tristezas neste livro. É que tristezas e alegrias existem e devemos ser realistas. Devemos tirar de fatos tristes lições preciosas que nos ajudarão a impulsionar com otimismo ao caminho do Bem e para a felicidade. Devemos, ao tomar conhecimento de fato assim, entender ambas as partes, e ajudar sem condenar. Devemos ser alegres, sou alegre e passo alegria aos que me rodeiam. Alegria nos fortalece, nos anima e nos dá compreensão da dor do próximo.

Esta senhora foi internada num hospital da Colônia onde recebeu, por tempos, tratamento, carinho e ensinamentos. A equipe da Colônia descobriu seus dois filhos e esposo encarnados na Europa e a levou para vê-los. Estavam os três bem. Depois de um tempo ela pediu para ser transferida para a Colônia no Plano Espiritual onde estão seus entes queridos. Estando bem melhor e com planos para reencarnar, porque só assim esqueceria tanto sofrimento, foi transferida. Despedi-me dela desejando-lhe boa sorte.

Mas ainda faltavam oito obsessores. Foram sete orientados e ajudados nas reuniões seguintes. Cada um deles, uma história triste. Destes onze que estavam com Joana querendo se vingar, dez foram socorridos e só um pediu para trabalhar no Plano Espiritual.

O restante pediu para reencarnar, queriam por misericórdia o esquecimento. Foram todos atendidos.

Mas o chefe destes dez desencarnados chamava Josef, era um judeu rude que, logo que viu os três primeiros irem embora, voltou-se furioso contra meu pai. Como sempre acontece, ele sentiu a pressão de Josef e também tentou orientá-lo.

Artur soube que este grupo tinha seu núcleo na Europa e foi para lá para conversar com eles. Este núcleo é de vingadores dos criminosos de guerra, que se intitula: "Os Ofendidos da Guerra". São muitos os grupos, todos unidos entre si. Artur pediu uma audiência com o chefe, um judeu de muitos conhecimentos.

Após cumprimentos, Artur nos contou que este chefe tinha total conhecimento do que acontecia com seus subordinados junto a Joana, não deixou que ele, Artur, falasse muito. Cita com exatidão pedaços do *Antigo Testamento*. Sabe a *Bíblia* quase que de cor. Fala de muitas passagens para justificar a vingança.

"É olho por olho, dente por dente!" – falou demonstrando calma.

Artur replicou com os ensinamentos de Jesus. Ele disse não acreditar num profeta que se deixou matar. Mas, após alguns minutos de conversa, ele confessou que reconhece a força e a presteza dos trabalhadores de Jesus. Artur lhe pediu que parasse de vingar, ele riu, mas aquietou por momentos, após, falou decidido:

"Não é do nosso interesse defrontar com ninguém. Temos tempo. Vou suspender a vingança por enquanto. Chamarei Josef, o único que ficou, que é forte nos seus objetivos. Só que o aviso: teremos outra oportunidade. O mais difícil conseguimos. Sabemos onde ele está, que se esconde num corpo de mulher quase negra. É castigo para ele, orgulhoso de sua raça, ter sido loiro e rico, agora quase pobre, mulher, mulata e filha adotiva. Acharemos outros que o odeiam. Ela certamente não ficará para sempre na guarda de vocês. Ele não mudou muito.

De fato, Josef foi embora e Joana ficou livre dos seus obsessores, não porém de seus erros. Meu pai chamou-a e a seus pais também, para uma conversa.

– Vocês vieram à procura de ajuda espiritual e receberam. Analisem o ocorrido e tirem boas lições de tudo o que lhes aconteceu. Estes fatos foram em parte conseqüências do passado e o resultado de uma maneira de viver sem esforço de melhoria íntima. Você, Joana, está com sua sensibilidade completamente aflorada, isto quer dizer que você tem a porta aberta para receber influência do mundo astral, sem, entretanto, poder discipliná-la. Irá ter influência e sintonia boas por meio de boas atitudes e de bons propósitos. E muito mais dos maus, se descuidar do seu aprimoramento espiritual. Se você se afastar do Bem, da oração sincera, e não se esforçar para mudar para melhor, não podemos nos responsabilizar pelos acontecimentos futuros. Afastando-se do Centro Espírita, tudo que passaram certamente se repetirá.

Joana não estava preocupada com o aprimoramento espiritual. Queria era força e poder. Queria dominar. Indagou a meu pai.

– Sr. José Carlos, posso aprender com o senhor?

– Claro que pode. Deve!

– Vou ter esta força que o senhor tem?

– Poderá ter esta e muito mais. Mas para isto deve primeiramente se educar na boa conduta e fazer por merecer a companhia destes trabalhadores desencarnados que convivem conosco. Mude para melhor e queira com vontade fazer o Bem. Agindo assim, aprenderá e muito.

Joana não respondeu. Sentindo-se melhor, afastou-se; a mãe ainda voltou outras vezes, afastando-se também. Artur me disse:

– Patrícia, neste socorro ajudamos mais os desencarnados que esta mocinha. Ela, agora, corre de seu pai. Se o vê de longe, se afasta para nem cumprimentá-lo. A figura dele a faz recordar os ensinamentos que escutou e que quer esquecer.

– Como ficará ela? – indaguei.

– Vamos aguardar para ver. Erros, Patrícia, não jogamos fora, nos pertencem e um dia a reação virá. Quando o grupo de vingadores perceber que ela não está mais sob a proteção dos bons, voltará, talvez, como tenho visto, com mais sutileza e cautela. Ela, não vindo aqui e nem indo a outro grupo, não estará vinculada a uma proteção e, como não faz por merecer nenhuma ajuda, será fácil eles voltarem e se vingarem. Ele, o médico nazista, já foi socorrido quando estava no Umbral, com aqueles que queriam se vingar, foi levado na ocasião para um Posto de Socorro e logo em seguida reencarnou. Socorro não quer dizer que o indivíduo mudou, pode receber orientação, mas para mudar é necessária uma transformação interior muito grande.

Fiquei a pensar como a crueldade faz mal ao cruel. Quanta imprudência em cometer erros. E a reação destes erros reajusta no caminho. Como Deus é misericordioso nos dando outras oportunidades.

Ao findar esta narrativa, conclui que todos nós, encarnados e desencarnados, temos uma versão de um fato ocorrido. Que todos nós temos que aprender a amar, a ser úteis para termos Paz e sermos felizes. E que a alegria interna virá quando superarmos nossos traumas íntimos e ajudarmos outros a fazê-lo. Alegria!

A História de Elisa

Numa das minhas folgas, fui visitar Elisa. Queria rever minha amiga e tinha muito interesse em acompanhar a recuperação de Walter. O desequilíbrio psíquico causado pelo uso das drogas traumatiza de forma profunda o perispírito do usuário. Atualmente, este vício atinge boa parte dos nossos jovens encarnados, trazendo a morte corporal dos mesmos e levando-os a voltar à espiritualidade com muitas mazelas. O caso de Walter era do meu particular interesse pelo socorro do qual participei e pelo muito que aprendi. Marquei um encontro no meu horário livre, de lazer, coincidindo com o dela, para podermos conversar trocando idéias. Gosto muito de diálogos edificantes. Elisa esperava-me na portaria do hospital onde no momento trabalhava e onde Walter estava internado. Alegramo-nos por nos ver.

– Patrícia – exclamou Elisa feliz –, programava ir vê-la. Que bom tê-la conosco! Quero agradecer-lhe. Foi muito atenciosa conosco.

Sorri em resposta e, como boa cicerone, minha amiga acompanhou-me para conhecer o hospital.

Quase todas as Colônias têm um hospital próprio para viciados em álcool, tabagismo e tóxico. Em algumas outras Colônias, estes doentes ficam em alas separadas em hospitais tradicionais.

Na Colônia Perseverança, este hospital é separado, grande e com muitos trabalhadores dedicados que ajudam na recuperação de desencarnados viciados.[1] Lugar calmo, com muitos

---

[1] N.A.E. – Muitos desencarnados estão tão agarrados à matéria que se sentem por muito tempo como encarnados, daí a minha referência a "desencarnados viciados".

jardins, salões para palestras e encontros, suas principais terapias são o trabalho, a música e o teatro. São muitas suas enfermarias, separadas por alas masculinas e femininas e pelo tipo de vício que o interno possui.

Primeiramente, vimos a parte central onde estão as salas de orientações, os alojamentos de seus trabalhadores, a biblioteca e os salões. Após, Elisa me levou para conhecer o atendimento aos desencarnados que no corpo físico foram fumantes. Estes, se tinham só este vício, não ficam internados, só vêm ao hospital para uma ajuda para se libertar da vontade de fumar. Só em casos raros é que um ex-fumante se interna, só se ele pedir, mesmo assim, é sempre por pouco tempo. Intoxica-se muito o perispírito com o tabagismo. Nesta parte é dado um tratamento para se que liberte da dependência. O ex-fumante recebe conhecimentos sobre o assunto, orientação e apoio que o ajudarão a vencer esta dependência. Mas só o vencerão se reencarnados, tendo oportunidade, não fumarem. Ressalvo o termo oportunidade, porque, se encarnado por algum motivo não puder fumar, não quer dizer que poderá ou não fazê-lo. Isto é com todos os vícios, só podemos dizer que os vencemos, quando temos oportunidade de voltar a eles e os repelimos.

A ala dos alcoólatras é grande. O álcool danifica o cérebro, aparelho digestivo e são muitos os doentes a se recuperar em vários estágios nesta parte do hospital. Os internos, quando melhoram, assistem a muitas aulas, fazem terapia de grupo e avaliam todos os acontecimentos passados por eles decorrentes do vício e as oportunidades de melhora oferecidas.

A parte que nos interessava e à qual Elisa se dedicava com todo carinho era a ala dos toxicômanos. Infelizmente esta ala do hospital e a de todas as Colônias têm sido ultimamente ampliadas. São muitos os imprudentes que desencarnam vítimas das drogas, direta ou indiretamente. Ali socorridos têm aspecto bem melhor dos que os que vagam ou os que estão no Umbral. São separados pelo grau de perturbação em que se encontram. O tratamento normalmente é longo, requerendo esforço do internado e muita dedicação e amor dos trabalhadores do hospital.

Não pensem os leitores que nestes hospitais só se vêem tristezas. Nada disso. Tristeza é sentimento negativo. Tristeza sem ajuda de nada serve, construímos, progredimos com o trabalho alegre. Os trabalhadores deste hospital têm sempre no rosto o sorriso bondoso e agradável, a palavra amiga e o amor que irradia e contamina os internos. Ali, estes abrigados temporariamente se sentem seguros, incentivados, amados, e sentem disposição para se recuperarem.

O hospital da Colônia Perseverança é muito bonito e acolhedor. Elisa me levou à ala onde Walter estava abrigado. Ele nos esperava no jardim interno que circunda a parte de sua morada provisória. Walter nos recebeu sorrindo. Estava com aparência sadia, com normal equilíbrio.

– Patrícia – disse ele sorrindo –, queria tanto conhecê-la e agradecer. Obrigado!

– De nada – respondi. – Como tem passado?

– Melhoro, graças a Deus e ao pessoal do hospital. Vou ficar bom logo.

Walter estava com a aparência de adolescente, como foi deixado na reunião do Centro Espírita. E continuaria assim porque queria a aparência que tinha antes de se drogar. Isto lhe dava mais confiança. Outros, após o tratamento no hospital, podem se quiser retomar a aparência de quando desencarnaram, só que sadios.

Sentamos os três num banco e fizemos alguns comentários. Elisa falou alegremente.

– Estou gostando muito de trabalhar neste hospital. Aqui vim por Walter e agora não penso em deixar este local de trabalho. Quando Walter tiver alta, ficarei; já decidi e obtive autorização. Vou estudar, aprender para melhor servir neste campo de ajuda. E você, Patrícia, quais são seus planos para o futuro?

– Como você sabe, gosto muito de ensinar. Logo, Marcela, a que substituo, retornará aos seus afazeres. Devo voltar à Colônia Casa do Saber, continuar meus estudos e trabalhar passando meus conhecimentos a outros desencarnados.[2]

Admirei o banco em que sentamos, é muito bonito e de contornos diferentes. Notando, Walter explicou:

– Esses bancos são feitos por internos nas nossas oficinas.

– O trabalho é de grande ajuda e uma das melhores terapias para nossos abrigados – disse Elisa, olhando carinhosamente para Walter. – Mas não só para eles e, sim, para todos, encarnados e desencarnados. O banco em que sentamos é muito bonito e de contornos diferentes. O trabalho é bênção. Corpos e mentes ociosos estão de portas abertas aos vícios e o trabalho que nos mantém ocupados abre outras portas opostas a eles. Aqui nas nossas oficinas se faz muitas coisas.

No Plano Espiritual tudo pode ou poderia ser plasmado. Mas os que sabem plasmar são poucos e necessita-se de tempo e muito aprendizado para fazê-lo. O trabalho é uma graça que ajuda muito a todos nós, encarnados e desencarnados. No Plano Espiritual, precisa-se muito deste benefício e existe trabalho para todos que quiserem, das formas mais simples às mais difíceis de serem realizadas. Muitos desencarnados que trabalham ainda estão apegados à vivência encarnada e lhes é dado o bônus-hora. Os que já superaram este apego entendem o porquê do trabalho, não recebem nenhuma remuneração. Alguns encarnados que já trabalham sem este apego, recém-chegados ao Plano Espiritual, participam da vida desencarnada trabalhando pelo Amor ao trabalho, não recebendo nada em troca. No hospital, os internos que trabalham recebem os bônus, mas são poucos os trabalhadores

---

[2] N.A.E. – A Colônia Casa do Saber que descrevi no terceiro livro, *A Casa do Escritor*, é onde moro atualmente, época em que escrevo este livro. E tenho planos de ficar por muitos anos, vindo, assim, raramente à Terra e não estando com os encarnados. Foi uma opção que fiz atendendo o convite de superiores. Tarefa que faço com muita alegria, porque somos sempre os beneficiados por estes trabalhos que nos oferecem. Devemos participar de todas as tarefas com muito regozijo e amor, dessa forma, tudo o que fizermos será bem feito.

que servem no hospital e que os recebem. Há muito tempo que eu não os recebo. Mas lembro da minha alegria quando recebi meu primeiro bônus. Foi uma euforia ser útil e ter uma recompensa. Agora, minha alegria é ser útil. Não almejo recompensas.

Quietamos por alguns segundos. Meus pensamentos vagaram pela trajetória vivida por pessoas como Walter. Suas existências, até serem socorridos, são uma verdadeira tragédia. Elisa quebrou o silêncio.

– Patrícia, você não pode imaginar o tanto que sonhei, por todos estes anos de desencarnada, com este momento. Estar assim com meu Walter, em plena recuperação. Sou muito grata a Deus por esta oportunidade.

Fechou os olhos por momentos e depois começou a falar com sua voz suave.

– Tudo começou em nossas encarnações anteriores, em que fomos unidos pelo afeto maternal. Fui mãe dele, meu nome era Gertrudes. Nasci e cresci num bordel de uma cidade pequena. Tornei-me uma prostituta logo mocinha. Aos vinte anos tive um filho, José, que é Walter agora. Até os seis anos, minha avó, que morava ali perto, cuidou do meu filho. Quando ela desencarnou, ele veio morar comigo. Mimei-o demais, dando-lhe tudo o que ele queria. Às vezes justificava meu modo de viver falando que tudo que eu fazia era por ele. Menino ainda, meu filho começou a tomar bebidas alcoólicas, achei linda sua atitude.

O tempo passou rápido e ele tornou-se moço, foi então que percebi que ele andava se embriagando demais. Tentei fazê-lo parar, só que não consegui. Quando chamava sua atenção, me respondia grosseiramente:

"Bebo por você ser o que é. Gostaria de ter uma mãe trabalhadeira e honesta!"

Isto me feria muito. E ele passou a se embriagar cada vez mais, até que passou a ficar quase que somente bêbado. Desencarnamos quase que na mesma época. Fiquei doente e desencarnei após muito sofrimento. Ele ficou pelo bordel, todos o conheciam e lhe davam de comer e bebidas. Desencarnou ao cair de uma ponte alta e bater a cabeça nas pedras. Sofremos vagando juntos pelo Umbral. Ele, sempre me culpando, dizia:

"Se tivesse me batido na primeira vez que bebi e não achado graça, não teria me tornado um bêbado."

Depois de muitos sofrimentos, fomos socorridos e levados para um Posto de Socorro onde ficamos por um período. Aconselhados a reencarnar, pedimos para renascer em famílias de costumes rigorosos que nos ajudassem a superar nossos vícios. Fomos atendidos e reencarnamos. Fomos somente conhecidos quando encarnados, nem amizade tivemos.

A família que me abrigou em seu seio educou-me com costumes rígidos. Achei certo, sentia-me segura. Queria acertar, queria vencer meu vício e venci. Fui uma moça honesta e trabalhadeira. Bonita, fui assediada por muitos rapazes, mas não dei importância a nenhum, não quis namorar, sentia que ia desencarnar logo e não queria deixar ninguém mais sofrer por mim. Tive câncer e desencarnei. Meus pais e meus irmãos sofreram por mim, mas não me atrapalharam e muito me ajudaram com suas preces. O resto você já sabe.

Walter prestou muita atenção nos dizeres de Elisa, após uma pausa, disse:

– Ao ouvir Elisa falar, as cenas vieram-me à minha memória. Recordo... Era pequeno e já gostava de bebidas alcoólicas, mas como minha mãe não proibiu, passei a tomar muito me prejudicando. Gostava do bordel, ali todos me amavam. Depois me tornei tão dependente do álcool, que só ficava embriagado. Quando desencarnei, sofri muito. Reencarnado, nesta última chamando Walter, tive outra oportunidade. Mas logo o gosto pela bebida aflorou forte em mim. Tomava escondido, porque meus pais proibiam. Mas a bebida deixava cheiro que eles conheciam, dificultando esconder. Meus pais me vigiavam regulando meus horários, percebendo minha tendência para a bebida, cheiravam minha boca sempre que voltava para casa. Enturmei-me com afins na escola, descobri a maconha e depois de um tempo a cocaína. Comecei a tirar notas baixas, aquele ano ainda fui aprovado, mas no ano seguinte, em que já me viciava pesado, minhas notas pioraram e meu comportamento estava péssimo. Meus pais foram chamados à escola e souberam de tudo. Meu pai me surrou, tiraram-me da escola e passaram a me vigiar mais ainda. Desesperado com a falta da droga, fugi de casa e fui ficar com uns viciados e traficantes num barraco. Meus pais sofreram muito. Meu pai, mais rígido, mandou me dizer que ele ainda me aceitava em casa, mas se largasse o tóxico. Se quisesse ficar entre os criminosos que os esquecesse, porque estava morto para eles. Queria a droga e fiquei. Minha mãe vinha me ver escondido. Chorava sempre quando me via, me trazia roupas, alimentos e dinheiro. Fui me drogando cada vez mais...

Ao recordar estes momentos dolorosos para ele, Walter começou a gaguejar, as últimas frases falou com dificuldade. Começou a ter uma crise. Elisa e eu lhe demos um passe que o acalmou dando-lhe sono; nós o levamos para seu leito na enfermaria de jovens masculinos. Elisa acabou de contar o que aconteceu com Walter.

– Ele contraiu dívidas que não foram pagas e por este motivo foi assassinado. Desencarnou e continuou desesperado, alucinado pelas drogas e procurou o Túnel Negro. Naquele local eles ensinavam os desencarnados viciados a vampirizar encarnados para satisfazerem o vício, e também o hipnotismo de Natan os fazia sentir como se tivessem usando drogas.

Nós o ajeitamos no leito, Walter sonolento virou-se para mim e disse:

– Elisa não é culpada! Ninguém é responsável pelos nossos erros a não ser nós mesmos. Se antes eu a acusava, foi na tentativa de culpar alguém, colocar em outros a responsabilidade que era só minha. Nesta última encarnação tive pais que se importaram comigo, honestos, exemplificaram o Bem e não tive a quem culpar a não ser a sorte que eu mesmo fiz. Não venci meu vício!

– Mas vencerá! – exclamei.

Walter dormiu.

– Como o tóxico prejudica a tantos imprudentes – disse Elisa. – Walter fará o tratamento muito tempo ainda, só estará bem quando lembrar de tudo o que lhe aconteceu e não sentir nada. Ele tem aula de Evangelização, faz orações, tem terapia e acompanhamento psicológico. Patrícia, como foi boa a regressão para Walter, a doutrinação que ele recebeu entre os encarnados na reunião Espírita.

Elisa ajeitou o lençol do leito dele com carinho de mãe, após, saímos silenciosas do quarto.

O Vôo da Gaivota

Elisa me acompanhou até outro jardim, que fica na frente do hospital. É um recanto mais bonito, cheio de flores coloridas e palmeiras frondosas. Ali muitos internos passeiam em horário de lazer. É um lugar agradável. Minha amiga convidou-me para sentar e após falou:

– Patrícia, tenho, desencarnada, trabalhado em muitos lugares e tenho estado muito com trabalhadores e com muitos socorridos. Aquele que ajuda, trabalha, está exercitando o bem para que pelo hábito possa ter melhor ambiente na conquista de sua evolução.

No meu convívio com você e com os integrantes do Centro Espírita, percebi que pode haver diferença. Quando Walter e eu estávamos sendo amparados, em nenhum momento me senti necessitada, aquela que estava sendo ajudada. Pelo contrário, todos da equipe realizaram o socorro como se estivessem fazendo algo para eles mesmos, com naturalidade e atitudes rotineiras. E eles não estavam lidando com desencarnados perturbados comuns, sim com um espírito trevoso, um mago negro ou um satanás, como se pode designar Natan e sua equipe. Você pode me explicar o estado espiritual destes trabalhadores?

– Elisa, quase todos estes espíritos atingiram o chamado autoconhecimento e, aqueles que não atingiram, estão se esforçando para tal. Não é necessário estímulos de fora para fazerem o que fazem. Nem pagamento nem recompensas de qualquer espécie. Sabem que são pequenos espiritualmente, conhecem todos os meandros da nossa personalidade, com todas suas misérias, conflitos, condicionamentos, ilusões, e a nossa peculiar ignorância quanto à verdade daquilo que realmente somos. Não estão estacionados, eles vivem plenamente a onipresença Divina, sentem-se unos com ela, vivem como parte integrante do Universo. Portanto, todo o seu agir é como o agir do dono da casa, cuidar da casa como se fosse sua.

Tudo o que fazem é por amor à vida, que está presente tanto neles como em qualquer manifestação Divina, daí a naturalidade e desprendimento que você sentiu ao conviver com eles.

– Patrícia, posso chamá-la de Gaivota?

Com meu consentimento, Elisa continuou:

– Então, Gaivota, como me explica o socorro prestado a mim. Ajuda? Trabalho? Bem realizado?

– Por que me chama de Gaivota? – perguntei.

– Gaivota é um pássaro muito bonito – respondeu ela –, quase todo clarinho, elegante e de voar preciso. Depois sempre deixa sinal de seus pezinhos na areia, mostrando que passou por ali, deixa marcas. E você deixou marcas em nossas vidas, na minha e na de Walter.

Agradeci, sorrindo. Após pensar uns momentos respondi, o que sabemos por escutarmos repetidamente, e que deveríamos colocar em prática no nosso dia-a-dia.

– Ajudar é favorecer, facilitar, fazer alguma coisa a alguém, prestar auxílio. Devemos esquecer de nós mesmos quando ajudamos a alguém. E quando ajudamos alguém a melhorar, melhoramos o mundo em que vivemos. Sempre devemos ajudar do melhor modo possível aqueles que surgem no nosso caminho.

Trabalho é a aplicação da atividade. Devemos trabalhar pelo amor ao trabalho, não para ver seus resultados. Com nosso exemplo no trabalho útil, podemos fazer outros nos seguir. Embora cada um deva fazer o que lhe compete, sem medo, tentando aprender cada vez mais. O amor deve estar presente em tudo o que fazemos, ele nos torna mais eficientes. Devemos trabalhar com alegria e gratidão, é fazendo pequenas tarefas que demonstraremos ser dignas das grandes. Trabalhar ajudando o próximo nos mostra o caminho da fraternidade e do amor. O trabalho que fazemos no presente nos mostrará o que devemos fazer no futuro. Sobre este assunto é muito interessante ler o *Livro dos Espíritos*, de Allan Kardec, livro terceiro, capítulo III-II, Lei do Trabalho.

O Bem deve ser feito com Amor. Ao fazermos o Bem tornamo-nos melhores e estamos colaborando para melhorar a humanidade. Devemos fazer o Bem expandindo os ensinamentos de Jesus, lembrando a todos sua doutrina de Amor. Mas não confundamos Amor com sentimentalismo. O Amor deve ser benéfico e nos impulsionar ao Bem. O Amor nos ajuda a vencer os obstáculos do caminho, é o único capaz de nos redimir e nos levar ao progresso. Os resultados do Bem realizado só a Deus pertencem. Não devemos pensar em crédito ao realizar o Bem, ao fazermos, somos os primeiros beneficiados. O Bem nos alimenta? O Bem e o Amor alimentam a todos nós, nos fortalecendo, nos levando a aprender a sermos bons.

Fiz uma pausa, o assunto era fascinante, tenho muito que aprender ainda sobre este tema e colocar em prática. Pensei por momentos e minha amiga aguardou ansiosa que eu retornasse às elucidações.

– Elisa, vamos mudar o enfoque de sua pergunta. Por que motivo alguém faz alguma coisa a outra pessoa? Mesmo se quem faz seja crente, de alguma seita ou religião, ou seja descrente. Este fazer pode ter resultado bom ou mal. Será que é sempre preciso existir algum motivo para fazer alguma ação? Observemos as diferentes motivações que envolvem as ações da maioria dos seres humanos. Que motivo leva o avarento a trabalhar tanto e a explorar quase sempre seus semelhantes? O egoísmo, certamente. Que motivo leva o ladrão a agredir e roubar suas vítimas? O egoísmo. Que motivo leva a maioria dos seguidores de determinadas religiões a deixar de fazer o que gosta e fazer o que ela manda? Não será o anseio de ter posse de um estado sem problemas nem se for no além? Isto também não será egoísmo? Se ao fazermos algo esperarmos recompensas, seja dos homens ou de Deus, estaremos agindo com egoísmo. Embora o Bem feito com egoísmo ajude muito outras pessoas e a nós mesmos, porque quem faz o Bem está no caminho para se libertar deste sentimento que é o egoísmo. O Bem sempre beneficia, a maldade prejudica. O dia em que não mais agirmos negativamente, estejamos encarnados ou desencarnados, haverá Paz e Harmonia na Terra, pois todos nós iremos fazer o que deve ser feito. Não haverá mais explorações nem comparações, pois isto são causas dos muitos conflitos, dores, sofrimentos e angústias na convivência dos seres humanos. Cada um de nós estará feliz com a vida que tem e fará todo esforço para aperfeiçoar seu trabalho físico e seu aprimoramento espiritual. O desejo de posse, seja ele qual for, desaparecerá e teremos equilíbrio e Paz.

Você, Elisa, me perguntou o que concluo da experiência que tivemos juntas. Prefiro dizer que foi um período agradável em que aprendi muito e que poderei passar a outros esta experiência.

Fazer o Bem estando desencarnado é muito mais fácil. Podemos trabalhar horas seguidas em determinada tarefa, seja no Plano Espiritual, ou entre os encarnados, até mesmo no Umbral, mas, ao terminá-la, ou vencendo nosso horário de trabalho, temos o equilíbrio das Casas de Socorro, do nosso cantinho nas Colônias, ou dos nossos abrigos. Nós nos recompomos rápido. E os encarnados? Eles têm seus afazeres físicos, têm a preocupação com a sua manutenção e a de sua família. Têm o corpo para cuidar, higienizar, conservá-lo sadio e, quando não, tentar sanar suas deficiências físicas. São muitos, Elisa, os encarnados que fazem o Bem apesar de todas estas dificuldades. Alguns ainda fazem por motivos, mas se libertarão deles. Outros, e são muitos, fazem por Amor, tendo como recompensa o prazer de servir. Como admiro o encarnado que faz o Bem! E o fazer deve ser no presente, agora, no momento. Não deixe, você, agora encarnado, para fazê-lo depois. No Plano Espiritual certamente terá oportunidade, mas é aí no corpo físico que se tem o grande aprendizado do Bem. E este Bem deve ser feito sem cultuar nomes famosos de desencarnados. Há sabedoria em praticar o Bem com Amor e simplicidade.

Terminei minha explanação, trocamos ainda alguns comentários sobre o hospital. Elisa tinha que voltar ao trabalho, despedimo-nos com um abraço fraterno.

– Patrícia, tudo que aconteceu ficará gravado na minha memória – disse ela com simplicidade.

Deixei o hospital, a Colônia Perseverança. Ainda estava no meu horário livre, a aula que daria só começaria mais tarde; fui ver meus pais que estavam passando uns dias no litoral para descansar.

Não estava totalmente satisfeita com a resposta que dera a Elisa. Meditei sobre o assunto. Veio-me à mente a questão 642 do *Livro dos Espíritos*, livro terceiro, capítulo I, cuja resposta é: "É preciso fazer o Bem no limite de suas forças, porque cada um responderá por todo mal que resulte do Bem que não haja feito."[1] Aí está a grande responsabilidade de não fazer no momento.

Menina e adolescente estudei num colégio católico e gostava muito de uma frase escrita no altar da capela: "VOLONTÁ DI DIO – PARADISO MIO."[2] Compreendi-a assim: "Fazer a vontade de Deus é minha alegria." Qual é a vontade de Deus em relação a nós? Penso que é que cresçamos rumo ao progresso, que sejamos bons, que compreendamos, amemos uns aos outros e que façamos todo o bem possível aos outros e a nós mesmos pelo trabalho e Amor. Que fé possuía quem pronunciou esta frase e que exemplo nos deixou de resignação, ânimo e coragem.

Também sobre o assunto lembrei de um ensinamento de Jesus contido no *Evangelho de Lucas,* XVII:7-10. O Mestre Nazareno nos ensina que o senhor não fica devendo obrigações ao servo que fez tudo que ele mandou e termina dizendo: "Somos servos inúteis; fizemos o que deveríamos fazer". Que temos que fazer? Seguir os mandamentos? Viver com dignidade e honradez? Não fazer o mal? Acredito que sim. E se não fizermos? Não seremos considerados nem servos. E para sermos servos úteis? Além de fazer o que nos compete, não fazer o mal, seguir os mandamentos, fazer mais, muito mais. Trabalhar com Amor ultrapassando nossas obrigações, para o nosso Bem, para o Bem do próximo e, mais ainda, nada esperar em troca.

Encontrei meus pais caminhando na praia. A tarde quente de verão estava maravilhosa. É sempre encantador ver o mar com seu verde-azulado e com suas ondas a se desfazerem na areia. Meus pais caminhavam tranqüilos desfrutando a calma do

---

[1] N.A.E. – Citação tirada da tradução de Salvador Gentile, revisão de Elias Barbosa – IDE.

[2] N.A.E. – Copiamos na íntegra esta frase, é assim que está grafada em uma das paredes de sua pitoresca Capela.

local. Aproximei-me. Amo-os tanto! Querendo obter mais informações sobre este assunto interessante, perguntei a meu pai, porque sua opinião foi, é e será sempre muito importante para mim.

"Como é, papai" – disse-lhe de mente para mente –, "o que me diz sobre o trabalho realizado, o bem feito, o porquê de fazermos..."

Papai pensou e acompanhei seus pensamentos.

"Jesus em certa ocasião disse: O Pai age até hoje, eu também ajo. A vida é ação. Na natureza física tudo o que entra no estado de letargia apodrece e se desintegra. Semelhante é a nossa mente, se não for usada, petrifica e embrutece. Se usada para o mal, não regride, mas constrói dores e dívidas para si mesmo, pois um dia será imantada a seus semelhantes. Aí viverá no ambiente que construiu agredindo a tudo e a todos. O homem sábio, conhecendo as implicações da ação, caminha em sintonia com a natureza que momento a momento aperfeiçoa sua manifestação. Faz das suas ações a razão de sua vida e, ao agir beneficamente, sente participar com Deus do seu perpétuo agir.

Não há vida sem relação, é no aprimoramento das relações que construímos um novo céu e uma nova Terra.

Portanto, uma tarefa realizada que resulta no bem de alguém não vejo como uma ajuda, tampouco como trabalho, muito menos para aquisição de crédito do beneficiado ou de Deus, mas sim como o próprio exercício de viver. Pois, se Deus age, eu também preciso agir.

Jesus disse muitas vezes: Eu e o Pai somos um, só que Ele é maior que eu. Quando chegarmos a compreender que o universo é nossa família, tudo o que venhamos a fazer, para nós estamos fazendo, pois tanto a casa como a família é nossa. Cuidemos da nossa casa e da nossa família quando encarnados, sem esperar que alguém nos elogie por algo que é nossa obrigação. Fazer desta forma é o que sinto e que procuro fazer."

"Papai! Mas muitos encarnados não zelam bem por suas casas e nem cuidam bem de seus filhos."

"Fazer a obrigação não dá merecimento, nem crédito, nem é digno de elogios. Mas, se não cumprirmos com estas obrigações, somos devedores, pois não realizamos o que era de nossa responsabilidade. Quando ultrapassarmos o tempo e o espaço, crédito e débito, iremos fazer todo o Bem pelo simples prazer de comungar com a vida pelo profundo Amor a todas as manifestações Divinas.

Viver na certeza da onipresença de Deus é diferente do chamado crer, ou de ter fé. Aí residem dois opostos, o crer é volutivo, incerto mutante aos embalos da emoção do momento, já o viver na onipresença é sólido. Vamos exemplificar na nossa família consangüínea. Pai e filha é parentesco, não é crença, é um fato que não há dúvida. Vivemos plenamente o fato do vínculo que nos une aos parentes mais próximos. Da mesma forma, viver na onipresença de Deus não é um ato de momento, ou atitude de crença, é a visão plena e total de que estou em Deus e Ele está plenamente em mim. Portanto, o que é Dele é meu e o que é meu sempre foi Dele. Mas, apesar de não existir separação entre mim e Ele, eu precariamente existo. Deus é plenitude total."

O horário me chamava ao regresso. Beijei-os. Volitei a alguns metros do solo e olhei-os. À frente deles estava uma gaivota que, com a aproximação deles, voou tranqüila, ganhando com seu vôo espetacular altura, deixando desenhados na areia seus pezinhos...

Meus pais se afastaram e suas pegadas ficaram...

Há pessoas que passam pela vida e deixam marcas...

Fim

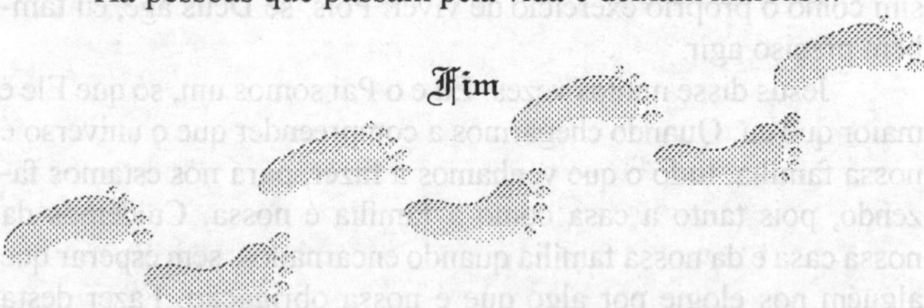

Se você gostou deste livro, o que acha de fazer com que outras pessoas venham a conhecê-lo também? Poderia comentá-lo com as pessoas do seu relacionamento, dar de presente à alguém que você sinta estar precisando ou até mesmo emprestar àquele que não tenha condições de comprar. O importante é a divulgação da boa leitura, principalmente a literatura Espírita. Entre nessa corrente!

Os livros da Patrícia já são best sellers

VIOLETAS NA JANELA

Primeiro livro da série, onde a jovem autora, que desencarnou com apenas 19 anos, conta como isso ocorreu e sua adaptação no Mundo Espiritual. Você irá apreciar o relato, descrevendo as descobertas do outro lado da vida. Como é o dia-a-dia do espírito, como se vestem, suas necessidades físicas, etc. Você irá se encantar com este livro.

VIVENDO NO MUNDO DOS ESPÍRITOS

Agora já ambientada à nova "vida", Patrícia nos leva, através dos cursos que realiza, conhecer e entender várias regiões espirituais, tais como o Umbral, as Colônias, Postos de Socorros e outras localidades. Muitos temas são transmitidos e analisados, sempre com a saudável curiosidade que é a peculiaridade da autora.

CASA DO ESCRITOR

A casa do Escritor é um local fascinante onde se reúnem todos aqueles que de uma forma ou de outra trabalham com literatura moralizante, principalmente a literatura Espírita. Lá, o espírito aprende a ditar textos aos médiuns, aprende também técnicas de redação. Patrícia ainda arruma tempo para contar o seu passado, uma bonita história de final romântico.

Todos psicografados pela médium

Vera Lúcia Marinzeck de Carvalho

Livros de Antônio Carlos

Psicografados pela médium

Vera Lúcia Marinzeck de Carvalho

RECONCILIAÇÃO

Fascinante, comovente e esclarecedora narrativa, um livro que agrada a todos. Sua trama envolvente, começa com um duplo assassinato, o pai matando a golpes de faca, sua esposa e seu filho. Mas após todo este drama, o leitor viverá uma profunda lição de amor, solidariedade, abnegação e ternura num relato maravilhosamente comovente, você irá se apaixonar por ele!

COPOS QUE ANDAM

Um livro que em função do próprio tema, todos devem ler e divulgar, pois aborda os perigos de invocar espíritos por meio de objetos tais como: copos, pêndulos, etc. Muitas são as histórias que entremeiam a narrativa, destacando a da garota Nely que é induzida pelos espíritos inferiores, a matar o próprio pai e suicidar-se posteriormente.

FILHO ADOTIVO

Além de exaltar a caridade e a grandeza de pais que conseguem amar filhos alheios, este livro traz uma trama muito envolvente, enfocando dois irmãos, que, sem o saberem, namoram e pretendem se casar. Mas, a intervenção da mãe, já falecida, aliada a espíritos amigos tentam de todos os meios evitar o matrimônio, trazendo a cada página, gratas surpresas, fazendo deste livro, excelente leitura e saboroso aprendizado.

PALCO DAS ENCARNAÇÕES

Eis uma história realmente interessante. Augusto, é o personagem principal de duas encarnações diferentes, uma como filho de dono de engenho e senhor de escravo e depois como negro, escravo no mesmo engenho. Você irá se emocionar com suas tentativas de ajudar seus entes queridos. A luta num tempo em que a lei era do mais forte!

Quatro livros incríveis de Eurípedes Kühl

ANIMAIS NOSSOS IRMÃOS

Muitas das aparentemente insondáveis questões sobre os animais que o Espiritismo clareia constantes desta obra:

- para onde vão os animais quando morrem?
- como é a vida das espécies na espiritualidade?
- se não têm inteligência como a humana, quem os orienta depois da morte?
- por que alguns animais sofrem tanto e outros têm regalias?
- animais têm carma?

INFIDELIDADE E PERDÃO

Romance do Espírito Josué

A infidelidade conjugal sugere, de início, prazer, porém, cedo ou tarde, a vida no incessante pulsar da realidade, sempre corretiva, implode o edifício erguido sobre o alicerce da paixão, deixando pessoas e famílias em escombros.

Neste romance você irá ver tais implosões, que infalivelmente ocorrem como conseqüência de todos os relacionamentos sexuais irresponsáveis.

FRAGMENTOS DA HISTÓRIA

Pela ótica Espírita

Da criação do mundo aos dias atuais, o autor conta fascinantes **Fragmentos da História pela ótica espírita** com muita leveza e singularidade literária. Foram quase 5 anos de incansáveis pesquisas. Mais de 100 obras consultadas. Muitos especialistas ouvidos. Tudo isso para compactar milênios de histórias da humanidade às reflexões doutrinárias à luz do espiritismo.

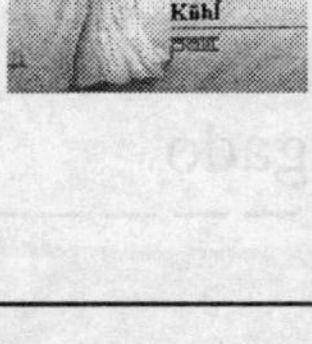

SEMPRE HÁ UMA ESPERANÇA

Romance do Espírito: **Roboels**

Karen, belíssima moça busca os bens materiais, como riqueza e glória a todo custo, nem que para isso tenha que machucar outras pessoas. Seu espírito protetor ou "Anjo da Guarda" como é popularmente conhecido, é o narrador da história e sofre muito com as atitudes de sua protegida tentando por todos os meios levar Karen para o bom caminho. Será que ele conseguirá? No decorrer da narrativa, o leitor irá participar de uma história fascinante, de amor, renúncia, e principalmente a luta contra uma doença cruel: a AIDS. Não deixe de ler esse livro!

Escreva para nós!

Diga o que você achou do livro que acaba de ler, faça seu comentário, assim você estará nos auxiliando a melhorar cada vez mais.

Obrigado.

CADASTRO DE CENTROS E LIVRARIAS ESPÍRITAS

Amigo leitor, gostaríamos de contar com sua preciosa colaboração no sentido de nos enviar os dados do Centro Espírita e da Livraria Espírita Kardecista que você conhece da sua cidade ou região. A sua colaboração é de grande importância no aprimoramento dos nossos trabalhos. Caso a ficha abaixo não for suficiente, envie os dados em folha a parte.

Nome do Centro..
End...No............
Bairro.............................Compl...........................
Cep.................Cid....................................Est...........
O Centro tem livraria interna? sim ☐ não ☐

Nome do Centro..
End...No............
Bairro.............................Compl...........................
Cep.................Cid....................................Est...........
O Centro tem livraria interna? sim ☐ não ☐

Nome do Centro..
End...No............
Bairro.............................Compl...........................
Cep.................Cid....................................Est...........
O Centro tem livraria interna? sim ☐ não ☐

Nome da Livraria..
End...No.......
Bairro...Compl..............
Cep............................Cid......................Est.......
Esta livraria está ligada a algum Centro Espírita? sim ☐ não ☐
Poderia informar qual ....

Selo

Petit Editora e Distribuidora Ltda.
Rua Atuaí, 383 - V. Esperança/Penha
03646-000 - São Paulo - SP

Dobra

....
....
....
....

Remetente

Dobra
Cola